A MANUAL OF COLLOQUIAL SPANISH

BRIAN STEEL

A MANUAL OF COLLOQUIAL SPANISH

SOCIEDAD GENERAL ESPAÑOLA DE LIBRERIA, S. A.
Evaristo San Miguel, 9
MADRID-8

Sociedad General Española
de Librería, S. A.
Madrid, 1976

ISBN 84-7143-098-3

Depósito legal: M. 28446 - 1976

Impreso en España - Printed in Spain

Selecciones Gráficas - Carretera de Irún, km. 11,500 - Madrid (1976)

PREFACE

This manual is designed to serve three separate, but not incompatible, purposes:

1. *On advanced Spanish language and literature courses, a study of the manual should enable students to achieve a more rapid and systematic understanding of the principal emotional, informal, and popular characteristics of colloquial Spanish. In this way, they will be in a better position to understand the colloquial content of many of the modern literary texts from Spain and Latin America that they are required —or may wish— to read and study. For this purpose, the whole text should be studied, and, at the end of each chapter and in Chapter 6, those supplementary examples labelled* **B** *should be studied and translated.*

2. *On intermediate courses, the manual should serve to bridge part of the enormous gap between those sentence structures and components which are already familiar or comprehensible to the student and those others which he encounters for the first time in literary texts with a dialogue or monologue content, particularly in drama texts. Such users should study only those sections and Notes which are* NOT *signalled by asterisks and, for further study, should, at least initially, confine themselves to the exercises labelled A. In this way, the manual may serve either as a 5-week* cursillo *on colloquial Spanish before such texts are attempted or as a longer (10-12 week) course to be taken while the modern texts are being studied.*

3. *For the more general needs of advanced students, graduate students, and teachers of Spanish, this work is designed to serve as a reference catalogue and translation manual of the principal characteristics of colloquial Spanish.*

Although the manual is designed to aid the user to acquire either a basic or a deeper comprehension and awareness of the principal features encountered uniquely or mainly in colloquial Peninsular and American Spanish rather than to improve his or her general performance in speaking the language, if it is successful in these aims, and if the supplementary examples are carefully studied, it should also contribute in some measure to the continuing development of the user's facility with the spoken language.

Although the conception of this manual has evolved from my preoccupation with the teaching and learning of Spanish at intermediate and advanced levels, and although the selection, classification, and presentation of the material are entirely my own, I have been greatly aided in my task by a large number of books and articles, which are listed in the Bibliography. Rather than encumber this work with footnotes, in addition to those notes that I have felt necessary to add in the body of the text, I have preferred to incorporate in the text examples from my major sources where these examples were short enough and not too obscure in isolation from their accompanying text. These examples, as distinct from all others, which are drawn mainly from my reading of modern Spanish and Latin American literature, are acknowledged, both in the text and in the supplementary exercises, by the scholar's name (rather than that of his source, where this is different), the year of publication, where relevant, and the page number.

Nevertheless, I must further acknowledge, with gratitude and unabated admiration, a particularly heavy debt to the indispensable major reference works by W. Beinhauer (1963), H. Keniston, María Moliner, M. M. Ramsey (revised by R. K. Spaulding), M. Seco (1967), and R. K. Spaulding (1959), all of which I have plundered with great profit. Other constant sources of guidance and of food for thought were the classifications and examples offered in the works of N. D. Arutiunova (1965), Aura Gómez de Ivashevsky, E. Lorenzo, J. Polo (1969), M. Regula, C. Smith et al., *and J. Vallejo. Needless to say, none of these nor any other of my sources is to be held in any way responsible for any misuse or misinterpretation of their material on my part, nor, indeed, for any other shortcomings of this manual.*

I should like to express to Monash University my appreciation for a travel grant which enabled me to gather some of the material for this manual. To my wife, Piluca, and to Paul and Maribel, my deepest gratitude and affection for their constant support and long-suffering patience, without which this manual would never have been completed.

Monash University, Melbourne.

June 1975.

CONTENTS

LIST OF SYMBOLS AND ABBREVIATIONS

/	denotes an alternative form
( )	denotes optional items
A. B. V.	= A. Buero Vallejo
Am. Sp.	= American Spanish
Arg.	= Argentina
B. P. G.	= B. Pérez Galdós
Beinhauer	= W. Beinhauer, *El español coloquial* (1963)
C. J. C.	= C. J. Cela
C. R.	= J. Coste and A. Redondo, *Syntaxe de l'espagnol moderne*
Colom.	= Colombia
Cuestionario	= *Cuestionario para el estudio coordinado de la norma lingüística culta...* (See Bibliography)
Esbozo	= Academia Española. Comisión de Gramática, *Esbozo de una nueva gramática de la lengua española*
esp. Am. Sp.	= especially used in American Spanish
J. A. de Z.	= J. A. de Zunzunegui
J. F. S.	= J. Fernández Santos
J. G. H.	= J. García Hortelano
J. L. C.-P.	= J. L. Castillo-Puche
Keniston	= H. Keniston, *Spanish Syntax List*
M. D.	= M. Delibes
M. M.	= M. Mihura
M. V. L.	= M. Vargas Llosa, *Peru*
Mex.	= Mexico
Moliner	= María Moliner, *Diccionario de uso del español*
P. Rico	= Puerto Rico
R. S. F.	= R. Sánchez Ferlosio
Ramsey	= M. M. Ramsey, *A Textbook of Modern Spanish*, revised by R. K. Spaulding
Seco	= M. Seco, *Diccionario de dudas y dificultades de la lengua española* (1967)
Spaulding	= R. K. Spaulding, *Syntax of the Spanish Verb* (1959)
Urug.	= Uruguay
V. R. I.	= V. Ruiz Iriarte
Venez.	= Venezuela

INTRODUCTION

Considerable attention has been given in recent years to the theoretical delimitation and description of specific 'styles' of language, that is, the particular lexical, morphological, syntactical, and semantic features of language which are characteristically used for specific communication purposes (e. g. advertising, journalism, literature), or by specific groups of people (e. g. doctors, sociologists, children from underprivileged areas of society) or, even, by specific groups of people in specific circumstances (e. g. middle-class use of language on formal, semi-formal, and informal occasions). The highly sophisticated techniques that have been evolved for these purposes have produced much work that is admirable (particularly on English 'styles') but, in such a wide and new field, progress is slow, and useful syntheses for the *practical* purposes of teaching foreign languages are not yet available.

This manual is not intended to contribute directly to this developing branch of linguistics, but, while we await more scientific analyses, it represents an attempt to classify and explain, for the practical purposes of teaching and learning Spanish, certain characteristic types and features of sentences in one broad group of spoken Spanish styles which may be suspected as constituting comprehension and translation problems for the non-native student of the language, who normally comes into contact with such styles in the modern literary texts prescribed for study on intermediate and advanced courses.

Spanish language course for beginners and intermediate students normally aim at presenting the most essential or basic morphology and syntax of the language via a study of the categories described by traditional grammar (parts of speech, clause types, etc.). Thus the student is given a description of the basic standard language. However, in addition to this basic system, there is a mass of syntactical, semantic, and lexical information which also has to be absorbed or acquired in some way or other if the student is to understand and use the language in different situations and, indeed, in different geographical areas. The gathering and teaching of this additional information will be determined by the practical needs of the student, which will usually depend on the type of course he is taking.

One such collection of information that is needed by most students of language and literature courses, if they are not to be left to acquire it haphazardly, consists of those language items (other than purely lexical ones, for which good dictionaries provide adequate help) which occur uniquely or principally in various uses of the spoken language and which are, by definition, different from (and often alternatives for) the basic sentence structures and components that the student has learnt — or whose meaning he can easily deduce.

Although this manual does not set out to find theoretical solutions to vexing questions of terminology, the term 'colloquial Spanish' has been chosen as being preferable to 'spoken Spanish' because the latter is a much broader term in that it refers (too ambiguously for my present purposes) to *any* Spanish that is spoken, which includes all sorts of disparate elements, like literary and political discussions, radio and TV broadcasting, etc. These types of spoken Spanish undoubtedly have their own syntactical and other peculiarities, which are eminently worthy of investigation and teaching, but they are not my present concern. Even much of what all of us, intuitively, would label as being 'spoken Spanish' uses the vocabulary and structures of the basic language and requires little or no attention from the language teacher once basic syntax and vocabulary have been covered. For example, in the following extract from an approximation by a Peninsular dramatist to spoken Spanish, whatever structures the linguist might decide on as being significant for stylistic description, there are no sentence patterns or components which an intermediate student would find particularly difficult to understand:

> "*Ahora veo que todo es de otra forma. Y veo... que si tú hubieras muerto..., es horrible pensarlo..., pero si tú hubieras muerto..., yo tendría ahora alguna justificación y no estaría tan..., tan perdido...*" (A. Sastre.)

This extract is composed, then, of basic or 'standard' syntactical structures or patterns. (The term 'standard' is used throughout this manual as a convenient contrastive label for basic morphology and syntax, the 'common core' of Spanish, and in no way implies that what is not standard is 'sub-standard', in the usual meaning of this term; the opposite of standard, for the purposes of the manual, will be 'non-standard'.) Such patterns are found not only in the above type of spoken Spanish but in other types, spoken and written, as well.

The term 'colloquial', on the other hand, is commonly felt —albeit often pejoratively— to refer to particular informal (often 'racy' or 'popular') spoken usage, especially that usage which differs in some way from 'formal' language. Since the material singled out for description in this manual *is* different from standard Spanish and since much of it is emotional, informal, or popular, the term 'colloquial' provides us with a better general label, intuitively understood by all of us. 'Colloquial Spanish', then, will be taken to be a collection of language phenomena characteristic of the spoken language because *a*) they lie outside the areas (and often the categories) described by standard syntax; *b*) they display peculiarities of meaning not amenable to 'literal' interpretation, or *c*) they fulfil particular dialogue functions and needs; in short, those language phenomena (apart from items of vocabulary) which need to be added by the student to his basic learner's 'dialect' in order to understand informal and other everyday varieties of spoken Spanish.

Gathering this sort of material is a relatively simple, if laborious, matter, because the items selected are those which show structural or semantic peculiarities different from those of the basic language, and most of these have already attracted the attention of scholars such as those referred to in the Preface and in the Bibliography; classifying this material in a useful and convincing way for practical purposes is much more difficult, and although a classification is presented in this manual, I have been conscious, in more than one moment of doubt, of the possibility that the inexorable practical neeed to insert all these linguistic features into classification slots may have led me to force a few square pegs into round holes. (One important linguistic aspect of colloquial usage, namely the common and inevitable tendency to use unfinished sentences, false starts, self-corrections, and changes of syntactical direction in mid-sentence, was largerly ignored, partly because to do it justice would have necessitated the large-scale recording and analysis of spontaneous conversations, which was beyond the means available to me, but also because, in my opinion, the *practical* teaching or learning value of much of this sort of information would be minimal, if not nil.)

Classification of the assembled material took into account the form and meaning of sentences, especially where their interpretation with reference to standard structures and 'literal' values would be erroneous or confusing, and also, where this seemed reasonably clear, the special dialogue function of sentences or components. This led to a preliminary separation of those structures which, for one reason or another, were not entirely amenable to a traditional *subject-verb-object* or *main clause-subordinate clause* type of analysis, or which, if amenable to such a syntactical analysis, still presented comprehension problems because of their 'non-literal' or 'ritualized' meaning (e. g. certain negative and ironic responses). (It should be pointed out here that, although all meaningful language is subject to conventions and although much language use is ritual in nature, the words 'ritual' and 'ritualized' are used in this manual to refer to the particular conventions of colloquial Spanish sentences which may prevent the non-initiated —i. e. the foreign student, in this case— from fully understanding their exact meaning or dialogue function.)

From this mass of material, I separated those sentences which consist of a standard sentence *plus* an additional item or items which fulfil (or seem to fulfil) various important dialogue functions. These elements, or additions, are grouped in Chapter 1 as 'Colloquial Sentence Adjuncts'. The remaining ritualized sentences were divided into the following two groups: *a*) those with a fixed, non-patternable form used for specific functions (including, for the sake of completeness, much 'obvious' information, like a selection of courtesy formulae, affirmative and negative responses, and other basic exclamations, and also including, for conciseness, a few simple formulae for specific dialogue functions); *b*) those other sentences which consist of productive non-standard (in the sense explained above) sentence *patterns*. These two groups are labelled, respectively, 'Situation-Based Ritual Sentences' (Chapter 2) and 'Emotional Comment Sentence Patterns' (Chapter 3).

The remainder of the material presented in this manual consists of colloquial variants of structural components of standard sentences. The variation is of two types: ellipsis (omission) and replacement. Most ellipsis and replacement affects the forms of the central feature of the sentence, the verb, and Chapter 4 is devoted entirely to the numerous colloquial variations in the verb form. In Chapter 5 are listed other colloquial variants for, or equivalents of, standard structural items (e. g. intensifiers and conjunctions).

The fact that there are standard Spanish alternatives, not only for the colloquial sentence components listed in Chapters 4 and 5, but also for many of the sentence units and patterns described in the first three chapters merely reinforces the basic assumption that these colloquial phenomena represent 'stylistic' choices or variants (however spontaneous or unpredictable they may be) with which non-native students of Spanish should be familiarized if they are to be expected to develop a sound understanding of the real meaning of colloquial Spanish.

Because my approach to the classification was based on a study not only of forms but also of the possible dialogue purpose (conscious or unconscious) dictating the use of some of these forms, the results, as I have already suggested, may contain wrong assumptions or impressions on my part, but this, though naturally regrettable, should not be too important since the purpose of the manual (for all users) is to facilitate the comprehension of colloquial Spanish, and, after presenting the salient features (in what I hope is a palatable and clear form), I leave the rest to the user. By careful observation and translation of the examples presented, and of others like them, he or she should be able to acquire a more systematic, accurate, and permanent understanding of colloquial usage than is usually achieved by relying *solely* on help from the dictionary or from the notes in an edited literary text. Moreover, it is to be hoped that the observant and interested reader will gain from the study of the many examples offered in this manual not only a better understanding of colloquial structures but also an increase in his or her passive vocabulary, some experience of common but not generally recommended usage (e. g. the use of *la* for *le*; the preterite ending *-stes* for *-ste*: *oístes, fuistes,* etc.; the pronunciation of participles ending in *-ado* and *-ido* as *-ao* and *-ío*), and some insights into the cultural content of the Spanish language.

As an examination of the various structures and elements described in this manual will make obvious, a very wide range of emotional, social, and geographical colloquial usage has been covered, so that the result is not the exhaustive description of any particular social or geographical style of usage (although, because of my background, there is an inevitable bias toward Castilian Spanish). What I hope *is* selectively represented here are those features of colloquial usage most likely to be met by the user in reading modern (and especially contemporary) Castilian and Spanish American literature. If users are constantly aware of the heterogeneous nature of the contents —and I have tried to help them by adding geographical labels to all examples taken from Spanish American *literary* sources and by repeating this advice in strategic parts of the text— they are more likely to be guided by their own observations and linguistic discrimination in arriving at a decision on the most appropriate meaning of a given colloquial sentence or component in a given situation. To further aid the reader to sharpen these necessary abilities, I have offered suggested (but by no means rigid) translations only where I felt them to be indispensable. To this end also, supplementary examples for study and translation (and, possibly, for linguistic analysis and the study of cultural content) have been included as a *basic* part of each of the descriptive chapters (the **A** series for intermediate students, the **B** series for all others). For those requiring it (for example, for revision, consolidation, or translation practice), there is a further chapter (Chapter 6) of miscellaneous examples, many of which contain a mixture of characteristics dealt with in different chapters. (The final exercise in Chapter 6 contains more lengthy and difficult examples.)

The basic terminology used in this manual is that of traditional and structural grammar. Where I have been obliged to invent or borrow other terms for the purpose of description and classification, I have tried to keep them simple and self-explanatory since it was not my aim to blind the reader with science but to state the facts in a comprehensible way and, as far as possible, to let the examples speak for themselves.

This aim, and, indeed, the whole concept of trying to 'pin down' and label the salient facts of colloquial usage will inevitably have led me to make some (perhaps many) over-generalizations but, for the practical purposes for which this manual is intended, I hope that the advantages will outweigh the disadvantages. *De todos modos* (5.25.2), *a lo hecho, pecho* (2.31). *¡Adelante!* (2.26.1). *¡Y buena suerte!* (2.5).

1

COLLOQUIAL SENTENCE ADJUNCTS

1.0 Some of the needs of the speaker to express certain subjective attitudes and to give certain dialogue signals for the listener's benefit may take the form of colloquial additions, or *adjuncts,* to the basic sentence structure. The bulk of these adjuncts, which are usually added at the beginning or at the end of the sentence and which cannot be used alone or as an integral part of a standard structure without loss or change of meaning, give various sorts of emphasis or prominence to the sentence as a whole or to its central grammatical feature, the main verb. Such adjuncts will be described and illustrated in sections 1.1-1.23. A smaller group of colloquial sentence adjuncts enable the speaker to give special, often spontaneous, prominence to a particular element of the sentence other than the main verb. These adjuncts are described in sections 1.24-1.30.

SENTENCE AND VERB EMPHASIZERS

EMPHATIC EMOTIONAL ADJUNCTS

1.1 The adjuncts described below in sections 1.2-1.6 occur principally at the beginning of sentences or clauses and, accompanied by special intonation patterns, add emotional emphasis to sentences which are nearly always provoked by a preceding part of the dialogue or by an extralinguistic factor. Quite frequently, such adjuncts correspond to English voice stress (e. g. *I* DID; *I* KNOW *that,* etc.).

1.2 *Pero*
Pero si
Si

The normal functions of these extremely common adjuncts are to convey surprise, indignation, protest, or an appeal. In English they are usually rendered by voice stress and/or *But.*

1.2.1 *Pero*

Examples:

—¡Dios mío! Pero, ¡qué bien lo estoy pasando! (V. R. I.)
My goodness! What a good time I'm having!

—¿Pero no te das cuentas? No hay un hombre en el mundo que conozca mi materia como yo. (R. Usigli, *Mex.*)
*Don't you under*STAND...

NOTE

For *pero (que) (muy)*, see 1.29.2.

1.2.2 *Pero si*

Examples:

—Devuélvelo.
«*Give it back.*»
—Pero si es mío.
«*But it's* MINE!»

—Pero si hasta ahora has sido tú casi el más enamorado y preocupado por ella.
—Es que el hecho de que consideres a este bicho más importante que yo, me ha sacado de mis casillas.
—Pero si para mí lo primero eres tú, ¿cómo has podido pensar otra cosa? (J. A. de Z.)
But YOU'RE *the one that matters most to* ME. *How could you think anything different?*

(The last part of this example shows the origins of these uses of *pero si* and *si.*)

1.2.3 *Si*

Examples:

—¡Me voy a mi casa!
—¡Si estás en tu casa! (A. B. V.)
But you ARE *home!*

—Perdona.
—Si no se trata de perdonarte... (J. A. de Z.)
(But) It's not a QUEstion *of for*GIving *you!*

NOTES

1. The construction *si es que* may be found in two different contexts and functions; in one, *si* acts as a reinforcement for the weak explanatory *es que* (see 1.9.2), and in the other, where *si* means *if*, it serves to make a hypothesis sound even more unlikely (see 1.23.4). Contrast the following sentences:

   —Si es que me pican los ojos de tanto mirarte. (A. Gala)

   —Y si es que salgo de ésta en condiciones de ser cliente de alguien, cuente conmigo. (Lidia Contreras, 69)

2. *Si* may also be used for querying a statement or question (see 1.4.2):

   —¿Quieres un bocadillo?
   —¿Si quiero qué?
   Do I want WHAT?

1.3 *Y*

As with English *and*, a major colloquial use of the adjunct *y* is at the beginning of exclamatory and interrogative sentences which express reproach, surprise, or indignation.

—¡Y no me habías dicho nada! (Moliner)
—¿Qué quieres decir?
—¿Y te atreves a preguntarlo? (A. B. V.)

NOTES

1. In American Spanish, especially in Argentina, *y* is often used to begin common responses: *¡Y claro!; ¡Y bueno! (All right/Well...).*
2. For other uses of *y*, see 1.23.1, 2.18, 3.7.1, and 4.6.1.

1.4 *Que*
Que si
¿Cómo que?

These are also very common in emphatic responses. The most usual English equivalent is voice stress rather than specific sentence adjuncts.

1.4.1 *Que*

It is primarily used for general emphatic purposes, especially before repetitions of statements, exclamations, imperatives, and questions.

—Por Dios, Paloma, que ellas son hijas tuyas. (J. A. de Z.)
For goodness sake, Paloma, they're YOUR *daughters.*

—¡Que se lo diré a mi padre! (L. Olmo)
I'll tell my FATHER!

—¡Anda, sigue!
—Pero no te incomodarás.
—¡Que sigas te he dicho! (M. de Unamuno)
Carry ON, *I said.*

—Murió hace un año.
La enfermera se volvió, asustada.
—¿Que se ha muerto?
—Sí. (J. F. S.)

—¿Qué cosa es ésta?
—¿Eso?... ¿Que qué es eso, dice sumercé? ¡Pues la espuela del señor cura viejo! (E. Caballero Calderón, *Colom.*)

Que is also used before the second of two juxtaposed clauses where the second clause indicates a supporting reason for the first, which frequently contains an imperative. In such sequences, translation of *que* is by one of the following ways:

—Date prisa, que se va el tren.
Hurry up, because the train's going (to go).
Hurry up, the TRAIN'S *going* (i. e. with voice stress).
Hurry up or the train will go.

Other examples:

—¡Y deja tus muñecos, que hay que merendar! (A. B. V.)

—Vámonos, que seguramente vendrá la policía. (R. J. Sender)

NOTE

When used before *no* introducing a contrasting item, *que* should be translated as *but* or as a stressed *not:*

—Vendrá otra noche, que no en ésta. (J. Goytortúa, *Mex.*)

1.4.2 *Que si*

This adjunct is frequently used when a speaker is repeating either a statement or a question just heard (in which case a suitable translation is usually an emphatic affirmative response, see 2.11.2), or a question of his own.

—¿Está usted seguro de lo que dice?
—¡Que si estoy seguro! (B. P. G.)
Am I sure!/Of course I am!

—¿Me da tres cuartos de tomates?
—¿Eh?
La verdulera es sorda como una tapia.
—¡Que si me da usted tres cuartos de tomates! (C. J. C.)
Three quarters of a kilo of TOMATOES, *please!*

NOTE

For *que si* in enumerations, see 4.5.

1.4.3 *¿Cómo que?*

This adjunct is used to begin emphatic sentences which question or disagree with a preceding sentence. The tone is truculent or enthusiastic, as with English *what do you mean, ...?*

—¿Te gusta mi idea, Tomy?
—¿Cómo que me gusta? Me encanta. (V. R. I.)
Like it? I love it!

—¡Que te quemas!
You'll get burnt!

—¿Cómo que me quemo? (B. P. G.)
What do you mean, get burnt?

NOTE

Occasionally, for an incredulous or emotional questioning of a question, *¿cómo que si?* is used:

—Y esta gente..., ¿está bien de la cabeza?
—¿Cómo que si están bien de la cabeza? (M. M.)
What do you mean, are they all right in the head?

1.5 *Ya*

Ya also adds emotional emphasis, especially in sentences conveying a threat, encouragement, or consolation. Usually, an adequate English translation will be by voice stress on the verb form.

—Ya lo creo.
I should say so!/Yes, indeed!

—Ya lo sé.
I KNOW.

—¡Cállate ya!
Oh, shut UP!

—Ya os pillaré. (L. Olmo)
I'll GET *you!*

—Ya vendrá, no te preocupes.
He'll COME, *don't worry.*

—Ya me imaginaba que no ibas a tener valor. (A. Casona)
I THOUGHT *you wouldn't have the* COURAGE.

1.6 *Sí (que)*
... sí (que)
Eso sí/... sí

1.6.1 *Sí* and *sí que* are used in emphatic affirmative responses to stress a previously mentioned verb. The resulting stress corresponds quite closely to the use of English stressed auxiliary verbs (e. g. *I* DO; *they* HAVE; *she* DID, etc.). Note the absence of subject pronouns from these sentences.

—No le gusta el teatro.
—Sí (que) le gusta.
He DOES.

—Este coche no es tuyo.
—Sí que lo es.
It IS.

—No lo tenía.
—Sí lo tenías y no te dabas cuenta. (Elena Garro, *Mex.*)
You DID *have it but you didn't realize it.*

1.6.2 If a pronoun subject or other contrastive element is also to be stressed, it precedes *sí que*. This occurs most frequently when the first element is one of the pronouns *eso, ese, esa, esos, esas.* Where the initial emphatic element is a subject pronoun it is normally followed by *sí* alone. In most cases, English translation is by voice stress and the addition or *really* or *certainly*.

—Esos sí que gozan de la vida. (J. Goytisolo)
They CERTAINLY *enjoy life.*

—¡Caramba, eso sí que es difícil! (Keniston, 272)
Gosh! That really IS *difficult.*

—Lo que sí te pido es que vengas a verme todos los días.
(N. D. Arutiunova, 1965. 91)
What I DO *ask is that you should come and see me* EVERY *day.*

—¡Qué bien!... ¡Ahora sí que cenaré con mucho gusto! (A. de Laiglesia)

—No me siento llena de vida y hace mucho que no tengo alegrías.
—Yo sí las tengo. (Luisa J. Hernández, *Mex.*)

NOTES

1. The stereotyped negative response *eso sí que no (certainly not!)* is listed as a ritual response in 2.13.

2. For the use of *sí* preceded by subject pronouns in verbless responses, see 4.3.3.

3. For the ironic use of *(pues) sí que,* see 3.11.1.

1.6.3 *Sí* and *Eso sí* as affirmative responses are listed in sections 2.9 and 2.10. An extension of this use is where *eso sí* and *sí* occur as parenthetical adjuncts to highlight a contrast in the second of two consecutive sentences. English translation is by voice stress or one of the following: *But, of course; However; I admit; Mind you; Granted; Oh, yes.*

> —No vengo a hacerles ningún mal. Eso sí, tengo que organizar mi gente y necesito que me ayuden. (A. Uslar Pietri, *Venez.*)
>
> —Porque tú ni de novio fuiste hablador. Me mirabas mucho, eso sí. (A. Gala)
>
> —¿También era usted el ladrón de niños?
> —Naturalmente. Eso sí, nunca estuvieron mejor atendidos que en esta casa. (A. Casona)

OTHER SUBJECTIVE ADJUNCTS

1.7 A number of sentence adjuncts, usually initial in position, can serve as one or either of two contrasting dialogue signals (both roughly equivalent to the various colloquial uses of *well*): *a*) confident or brisk assertion; *b*) hesitation or vagueness. (The latter signal and, occasionally, the former, may be conveyed by a combination of these adjuncts.) The use of these adjuncts often reflects an aspect of the speaker's mood or intentions. In other words, like those adjuncts described in preceding sections, they may give the listener particular information relevant to the dialogue situation or to the speaker's attitude.

The most frequently used adjuncts, given the appropriate intonation, are capable or both functions:

Pues (1.8).
Bueno (pues) (1.8).
Es que (1.9).
An infinitive (1.10).

The following, however, are limited to the hesitant or vague function:

(Pues) verás/(Pues) verá (usted)
Ya ves/Ya ve usted
Nada
Esto; Este (esp. Am. Sp.)
} (1.11).

Notes

1. *Hombre* and similar vocatives are also used with these functions, but because of their other uses as exclamations, they are described in 2.22.

2. Because of their varied and sometimes overlapping uses, it is not easy to describe *pues* and *bueno* adequately in a work of this nature. For other uses of *pues*, see 1.18, 3.11.1, 5.22, and 5.24.1. For more detailed descriptions, see the works by W. Beinhauer (1963), R. Carnicer (1972), María Moliner, and M. Seco (1967).

3. Through frequent use, most of these adjuncts may become mere conversational clichés or mannerisms. This is particularly noticeable in informal and less educated speech. (Cf. English *you know, sort of, well, like,* etc.)

1.8 *Pues*
Bueno (pues)

1.8.1 *Pues* and *Bueno (pues)* are both used as emphatic or assertive openings to sentences and for the brisk resumption or continuation of a topic previously begun. Also, *pues* is used as an emphatic (or resumptive) opening for a main clause following a subordinate clause of reason or condition, and *bueno* may be used by a speaker to interrupt the flow of his sentence either to insert a correction or a new thought.

—Otras veces me dice usted...
—¡Pues hoy le digo lo contrario, demonio! (M. M.)
Well, today I'm telling you the opposite, damn it!

—¿Hablaste o no hablaste con él?
—Pues claro. (A. B. V.)

—Bueno, pues nada, Mariano, hasta luego y gracias por todo... (Beinhauer, 98)
Well, then...

—Cuéntame lo que pasó.
—Bueno, pues, cuando llegamos, vimos a su madre y se lo explicamos.

—En aquella época, pues, todo era muy distinto.
At that time, then, everything was very different.

—Bueno, como te estaba diciendo, eso de que no regresó, es un puro decir.
(J. Rulfo, *Mex.*)
Well, as I was saying, this rumour that he didn't come back is just that, a rumour.

—Como no tenía dinero, pues me fui a casa.

—No tengo dinero, bueno, sí lo tengo.

—Llégate al número trece y dile al..., bueno, al caballero que lo ocupa, que aquí lo buscan. (Beinhauer, 348)

NOTES

1. *En fin* and *total* are also used as resumptive or emphatic adjuncts, especially before a short account or a request for one, or to signal a conclusion or a shortening of a list or an account. (Cf. *well, in short, in fact*):

   —... En fin, que se enredó el asunto... (J. Benavente)
   Well, the matter got complicated.

   —Si yo no entiendo nada de este absurdo. ¡Nada!
   —No es para tanto, vamos. Total, ¿qué ha pasado? (R. Marqués, *P. Rico*)
   Listen, there's no need to get like that. In fact, what has happened?

   (For *pero, en fin,* see 5.25,2, and for *total, que,* see 1.18 and 5.24.1.)

2. The resumptive adjuncts *ahora* and *ahora bien (now...)* are not limited to colloquial use. For *ahora, que,* see 5.25.2.

3. *Bueno* as a ritual response is described in 2.9.

1.8.2 Both *pues* and *bueno (pues)* are also used at the beginning of hesitant or guarded replies or simply as mechanical introductions to responses. In all cases, English *well* or *well, er...* are equivalent.

—¿Cuántos vendrán?
—Pues no lo sé.

—Dice Modesta que cuál va a ser el menú de esta noche.
—Pues..., sopa de sémola, la tortilla de siempre... (Beinhauer, 329)

—¿Cuántos son ustedes de familia?
—Pues somos seis.
—Seis. ¿Cuántos chiquillos?
—Cuatro.
—¿Van los hijos al colegio?
—Pues dos, sí. (M. Gorosch, 1973, 23)

—¿Nos veremos mañana por la tarde?
—Pues sí. (R. Carnicer, 1972, 82)

—¿Se reúnen frecuentemente con sus amigos?
—Bueno, una o dos veces al mes... (M. Gorosch, 1973, 31)

1.9 *Es que*

1.9.1 *Es que* as an assertive or contrastive adjunct compares with English *(but) the fact (of the matter) is; the point is; in fact; really,* etc.

—Celos. Celos. No se trata de eso. Es que sois una familia extraña.
(R. Marqués, *P. Rico*)
Jealousy, jealousy! That's not it! You really ARE *a funny family.*

—Yo a ese profesor es que no le entiendo.
*I really don't under*STAND *that teacher.*

1.9.2 In its more frequent use as a hesitant adjunct, *es que* usually precedes an explanation or excuse, especially when these are felt by the speaker to be weak, or when he feels nervous or intimidated in any way. Depending on the context, the following sentence and clause openings are possible translations: *but; well, really; well, the fact is; the trouble is; you see; because; it's just that...*

—Es que...
—No hay «es que» que valga... El chico se muere. (J. M. Rodríguez Méndez)
«But...»
«It's no good saying 'but'. The boy's dying.»

A Martín le da la tos. Después se ríe.
—¡Je, je! Usted perdone, es que estoy algo acatarrado. (C. J. C.)

—Eso son boberías. Los nervios hay que olvidarlos.
—Es que ha sido un día terrible. (A. Estornino, *Cuba*)

NOTES

1. *Es que* may be preceded by a number of noun phrases, most of which are used in standard Spanish: *el hecho; la verdad; lo que pasa; el caso; la cosa,* etc. These longer forms may be used in both assertive and hesitant functions:

   —Bueno, no discutáis. El hecho es que Amadeo sabe hacer muy bien la paella. (J. G. H.)

   —Iría con gusto, la cosa es que me están esperando en casa. (Moliner)

2. Hesitant *es que* may be strengthened by the addition of *si.* (See 1.2.3, note 1.)

***1.10** The infinitive followed by a finite form of the same verb may be used for assertive or hesitant emphasis on the verb.

***1.10.1**

Examples of assertion:

—Porque jugar, no juegan casi. (A. Gala)
Because they don't really PLAY *at all.*

—Sé que trabajáis mucho.
—Sí, señor, eso sí, trabajar, trabajamos. (J. G. H.)
Oh yes, sir, we WORK *all right!*

***1.10.2** A hesitant sort of emphasis may be expressed by an infinitive followed by a finite form of the same verb and, occasionally, preceded by *como,* as a response to a sentence in which the verb has already been used.

Often the response begins with another hesitant adjunct. The effect is usually similar to English hesitant positive and negative responses like: *Oh yes, I* LIKE *them (but)...*, and *Well,* NOTHING, *really.*

—¿No le gustan?
—Gustarme sí me gustan. (J. Goytisolo)

—¿Qué harías tú en mi lugar?
—Hacer, lo que se dice hacer, no haría nada. (J. Goytisolo)
Well, I wouldn't really DO ANY*thing, really.*

—Yo no tengo familia.
—¡Pobrecita! ¿Es posible?
—Bueno, tenerla, sí la tengo. Pero es lo mismo que si no la tuviese. (M. M.)
Well, I've GOT *one all right, but...*

—... ¿y qué hace tu novio?
—Pues, mujer, como hacer, lo que se dice hacer, no hace nada. (C. J. C.)
Well, as for a JOB, *what you might call a* REAL *job, he hasn't really* GOT *one.*

—Y ustedes —les pregunté— ¿qué hacen?
—Como hacer, nada, mi jefe. (M. L. Guzmán, *Mex.*)
Well, NOTHING, *really, boss.*

*NOTE

See also 1.27.2 and 2.15.3.

1.11 The following may function as hesitant or introductory (mechanical) adjuncts or as vague responses:

(Pues) verás/(Pues) verá (usted).
Ya ves/Ya ve (usted).
Nada.
Esto; Este (esp. Am. Sp.).

Suitable general translations are: *well; ah, well; well, you know; you see.* However, the following specific translation equivalents should be noted:

Verás (Verá) preceding a separate sentence is best rendered as *Listen.*
Nada usually shows a desire on the part of the speaker to play down the importance of a reply or to reassure the listener: *well, it's just that...*; *ah, well, never mind.*
Esto and *este* are equivalent to *er* or *um...*

—¿Qué pasa?
—Verás, es que ha venido un señor preguntando por ti. (J. A. de Z.)
Well, it's like this...

—Verás, Margarita. No te enfades, ¿eh? Déjame hablar sin enfadarte. No sé cómo explicártelo. (R. Rodríguez Buded)

—¿Qué tal? —murmuró.
Ella se encogió de hombros.
—Ya ves. (D. Sueiro)

—Tú me has caído bien, ya ves. (D. Sueiro)

—Tenía miedo de llorar. Y ya ves, lo he hecho. (Carmen Laforet)

—¿No sabe que yo la quiero mucho a usted?
—Pues ya ves tú: no lo sé. (S. Eichelbaum, *Arg.*)

—¿Qué me cuentas?
—Nada, ya ves. (C. J. C.)
Well, NOTHING *really.*

—¡Hable, por la Virgen Santa!... ¡Hable!
—Nada, que el señor marqués... acaba de perder la memoria. (Beinhauer, 96)

—¿Tú conocías a Felipa antes de venir a trabajar aquí?
—Este...
—Di la verdad. (S. Eichelbaum, *Arg.*)

ATTEMPTS TO IMPRESS THE LISTENER

1.12 Some colloquial sentence adjuncts serve the purpose of appealing for the listener's attention, sympathy, or agreement, and add what one might term 'persuasive emphasis' to the sentence. There are two classes of approach: the direct, unsophisticated appeal by means of parenthetical exclamatory adjuncts (1.13) aimed at assuring the listener of the truth of what is being said (cf. English *really, truly, honestly,* etc.); the use of adjuncts whose content implies that the speaker has carefully considered what he is saying and that the listener should logically accept it as perfectly reasonable, true, or relevant in the context (1.14). English counterparts for these latter adjuncts are *really, after all, in fact,* etc. In both these types of adjunct, as with other common sentence adjuncts —and with uses of language in general— the constant use of a device can be simply the result of habit (cf. *pues* in 1.8).

1.13

1.13.1

Como me oye(s)
Como lo oye(s)
Así como usted lo oye
Palabra
La verdad
No crea(s)

With all of these parenthetical adjuncts, the speaker seeks to emphasize the basic truth of an assertion, however unlikely or polemical it may seem (or be). Suitable English translations are *really, honestly, truly,* or an equivalent.

—... que hubo una época que me gustó Paco, como lo oyes. (M. D.)

—Se le había largado con el pescadero, así como usted lo oye, sin más ni más. (Sara Suárez Solís, 140)
She had gone off with the fishmonger, really, just like that.

—¿No tienes nada que hacer ahora?
—Y aunque lo tuviera —dijo Alberto—. Pero no tengo nada, palabra. (M. V. L.)
Even if I did, it wouldn't matter... But, really, I haven't.

—No sé adónde iremos a parar si las cosas siguen así. La verdad, no lo sé. (A. M. de Lera)

—Tal vez no sea muy normal, para usted, pero es una forma de vivir como cualquier otra. Y no crea, tiene sus ventajas. (R. M. Cossa, *Arg.*)

—Mi cuerpo llamaba la atención mientras en casa pasábamos necesidad. Era el caso de la mayoría de las coristas, no creas. (A. M. de Lera)

1.13.2 The parenthetical use of the adjuncts *efectivamente* and *en efecto* to confirm the truth and relevance of an assertion is related to but subtly different from both those adjuncts described above and those described in 1.14. The easiest way of demonstrating this subtle difference is by pointing out that, although *como lo oye, efectivamente* and *en efecto* are used as affirmative responses (see 2.9-2.10), they are of two different types: persuasion *(yes, really)* and confirmation *(yes, that's true)*. Therefore, as adjuncts, *efectivamente* and *en efecto* may be translated as *in fact,* although it should be remembered that in English *in fact,* like *really,* has several different uses.

«Hoy no lleva nada la carta.» Era, en efecto, la primera vez que salía de allí con la carta vacía. (B. P. G.)
In fact, this was the first time he had left there with no money in the envelope.

El viajero va comiendo albaricoques que saca del morral.
—¿Usted gusta?
—Que aproveche.
El hombre del puro no tiene, efectivamente, aire de comer albaricoques. (C. J. C.)

1.14

1.14.1

En realidad
Realmente
A(l) fin de cuentas
Al fin y al cabo
Después de todo

Bien mirado
Mirándolo bien
Si bien se mira
Bien considerado
Considerándolo bien
Si se considera bien
Pensándolo bien

The dividing line between these 'persuasive' adjuncts and other adjuncts like *de todos modos, de todas maneras* (*in any case*, etc.) may often seem thin or non-existent. However, because the ones listed above may be used independently of any preceding sentences as well as in contrast to preceding sentences, they are grouped here, while the others are described in 5.25.2 as connecting adjuncts because they always relate the sentence in which they occur to a preceding one. Translation of the 'persuasive' adjuncts is by *really, in fact, after all, all things considered, when you come to think of it,* or some other equivalent.

—Pero quien lo provocó, en realidad, fue doña Asunción. (A. B. V.)
But, in fact, the one who caused it was Doña Asunción.

—Mirándolo bien, es horrible lo que nos ha ocurrido a nosotros, por una cosa o por otra. (A. Sastre)
When you come to think of it, all we've been through, for one reason or another, is dreadful.

—Razón te sobra en este caso, pero, bien considerado, esto no debe comentarse, la carta se rompe..., así... (E. Barrios, *Chile*)
You're absolutely right in this instance, but in fact no one must breathe a word about this and the letter must be torn up, like this.

—¿También a ella la quieren matar, como a ese hombre que, al fin y al cabo, y tú mismo lo decías, no era una mala persona? (E. Caballero Calderón, *Colom.*)

—Supongan, pues, que publico esta historia por vanidad. Al fin de cuentas, estoy hecho de carne, hueso, pelo y uñas como cualquier otro hombre. (E. Sábato, *Arg.*)

—No debes llamar extraños a los familiares y a los amigos de Carlos. Después de todo, va a ser nuestro yerno. (C. Gorostiza, *Mex.*)

—Si tú me lo pides, me callaré. Después de todo, siempre hago lo que tú quieres. (V. R. I.)

*NOTE

In the novels of M. Delibes, and presumably elsewhere also, the clause *Te pones a ver* (followed by *y*) has a similar function (cf. *When you come to think of it*):

—Te pones a ver, y esto no es vida. (M. D.)

***1.14.2** Similar in function but usually weaker in persuasive force or intention are the postverbal adjuncts *que digamos* and *vamos.*

que digamos, or, in a past narrative, *que dijéramos,* is normally restricted to use after the sequence *no* (or other negative) + verb (usually *ser* or *estar*) + adjective, although it may also accompany the pattern *no es* + noun.

—Conque ésta es la cama, ¿eh? No es muy blanda, que digamos. Pero, en fin... (Beinhauer, 57)
So this is the bed, is it? It isn't very soft, really, but still...

Los caminos no estaban muy apetecibles que dijéramos. (Spaulding, 78)
The roads weren't very tempting really.

—Y como tu padre no es, que digamos, ningún chavalillo... (Beinhauer, 57)
And since your father is not exactly a young man any more...

vamos, however, in functions deriving from its independent use as an exclamation (see 2.25.3), may be used not only after the pattern just mentioned but more generally as *a*) an emphatic or persuasive adjunct, or *b*) a deferential or 'downtoning' adjunct following an opinion of the speaker. In the latter function it may be followed by *digo yo* (see also 4.25.2).

—Una escena un poco tal, no muy recomendable, vamos. (J. L. Martín Vigil)

—Todo el mundo se fija mucho en nuestra gordura, lo cual me parece una impertinencia. Si estamos gordos o no, es asunto nuestro, vamos. (A. de Laiglesia)
... Whether we're fat or not is OUR *business, surely.*

—Ese hombre está loco, vamos, digo yo. (A. B. V.)
That man's crazy, if you ask me. (=Well, that's what I think, anyway.)

DIALOGUE STIMULANTS

1.15 Three other types of colloquial adjuncts are used specifically to lead the listener to respond or react in a particular way to the sentence in which they occur. If used rhetorically, their presence assumes such a response. The three types of adjuncts may be identified as producing

questions seeking (or assuming) positive agreement (with both positive and negative questions) (1.16);
emotional questions seeking a specific contradictory answer (1.17);
inferences seeking some sort of response (1.18).

1.16 *¿No es verdad?*
¿Verdad?
¿Verdad que?
¿No?
¿Eh?
¿No es eso?
¿No es así?
¿A que sí?

These adjuncts make the same sort of direct appeal for the listener's attention as English *didn't he?*, *won't they?*, *isn't she?*, etc., and *right?*, *eh?*, and so on. The shorter forms occur more frequently than the rest.

—Vendrás pronto, ¿no?

—Te gustan, ¿verdad?

—No está mal la comida, ¿eh?
The food isn't bad, is it?

—Bah. (J. A. Payno)
Huh!

—¿Qué te parece si me escapara de esta casa? ¿Verdad que tú lo harías, Andrea? ¿Verdad que tú no te dejarías pegar? (Carmen Laforet)

—Las estrellas están en el aire, ¿no es eso? (M. D.)

—Crees que a la larga todo esto se arreglará, ¿no es así? (J. M. Gironella)

—Papá es muy bueno, ¿a que sí? (L. Olmo)

NOTES

1. For *¿a que sí?* as a response, see 4.18.
2. In popular or rustic speech, the pronouns *usted* and *tú* may follow *¿verdad?*:

—Esto es duro, ¿verdad, usted?

1.17 *¿Es que?* *¿Acaso? (esp. Am. Sp.)*

¿Es que? is not merely the interrogative form of *es que*, nor is it as generally used as the French *Est-ce que?* Its usual function is as an adjunct in emotional questions where the speaker hopes for a specific contradictory answer, even though he suspects, or knows, that this will not be forthcoming. The emotions most usually involved in the use of *¿es que?* are indignation, impatience, annoyance, fear, and sorrow, although sarcasm may also be expressed by means of this adjunct. In English, the following types of equivalents are worth noting: voice stress; *... then?; surely... not...; you're not..., are you?; don't you...?; do you think...?*

—En esta casa hace falta dinero. Hay niños. ¿Es que no comprendes? (L. Olmo)

—Ya sabe usted que el señor nunca se queja de nada. ¿Es que hay que esperar a que se queje para hacer las cosas? (J. López Rubio)

—¿Es que no conoce usted el reglamento? (R. Marqués, *P. Rico*)

—¿Pero es que usted cree que se dan cuenta de nuestra horrorosa vida? (J. A. de Z.)

The form *¿acaso?*, although found with roughly the same functions in Castilian Spanish, seems to be much more frequent in contemporary American Spanish, to the extent that it should be considered tentatively as an *americanismo.*

—... ¿qué es lo que llevas ahí?
—¿Sé yo acaso lo que puede haber adentro? (P. Baroja)
Do you think I know what may be inside?

—¿Acaso no os dice nada el hecho consumado de que el delegado de cuarto [*año*] haya sido detenido esta mañana? (A. Berlanga)

—¿Acaso no cumplimos con nuestro deber? (R. Márquez, *P. Rico*)

—Es bastante para vivir. No necesitamos más. ¿Me quejo acaso? ¿Te he dicho que me falte algo? (R. Usigli, *Mex.*)

—¡Varias veces! ¿Acaso se puede querer de veras muchas veces en la vida? (E. Barrios, *Chile*)

—¿Qué llevas en ese paquete?
—Son mis patines.
—¿Tus patines? ¿Acaso vas a patinar? (C. Gorostiza, *Mex.*)

NOTE

In Mexican Spanish, the adjunct *¿a poco?* has a similar function:

—¿No has visto a todos esos niños bien con coche...? ¿A poco tú y yo les vamos a hacer competencia? (C. Fuentes, *Mex.*)
Haven't you seen all those rich playboys with their cars? Do you think we can compete with them?

1.18 *Así que* / *Como que* / *Conque* / *De manera que* / *De modo que* / *Entonces* / *O sea (que)* / *... ¿pues? (esp. Am. Sp.)* / *Total, que*

Although a major function of these adjuncts is as an explicit link between coordinate clauses or sentences to show a cause-result relationship between them (see 5.24.1), they are also frequently used as dialogue stimulants in colloquial Spanish (with or without reference to a preceding sentence) to initiate or prolong conversation or to elicit information or a reaction by putting forward an inference. (Cf. English *So...?; ..., then?; ..., isn't it?*, etc.) In the sense that sentences containing these adjuncts require an answer —which may not necessarily be given— they may be taken as constituting a special sort of question, whether or not this is reflected, in written representation, in the punctuation.

—Conque todo era una comedia.
—Sí, papá. (V. R. I.)

—Hola, abuelo, buenos días.
—Muy buenas.
—Conque trabajando al aire libre, ¿eh? (J. Corrales Egea)

—¿De manera que usted es intelectual? —dijo, sin más preámbulos, Federico Robles. (C. Fuentes, *Mex.*)

—De modo que tu hermano Anselmo no sabrá que ha muerto el comandante.
—Eso creo yo. (E. Barrios, *Chile*)

—Monsieur Rodolos la llevará al cuarto de los perros.
—¿Así que tienen un cuarto, los perros?
—Claro que tienen su cuarto. (J. Cortázar, *Arg.*)

—Como que usted se cree que íbamos a aguantar nosotras eso.
—¡Ay, no! ¡Qué disparate! Vosotras, no. (A. Gala)
«So you think we would put up with that?»
«Oh no! How ridiculous! Not you.»

—Vi el paquete que trajiste la otra noche..., el uniforme, el sombrero tejano.
—¡Entonces, me espías!
—Sí..., pero no quiero que te engañes más. (R. Usigli, *Mex.*)

—... Es la triste realidad...
—O sea que ha venido a amenazarme.
—Nada de eso, al contrario. (M. V. L.)

—¿Dónde queda por aquí la casa de Lorenzo Barquero?
—¿No lo sabe, pues? (R. Gallegos, *Venez.*)

NOTE

The idiomatic sentence *¡Conque esas tenemos!*, which also presents an inference, is equivalent to English *So that's it!*, *So that's his game!*, etc.

* DIRECTIONS TO THE LISTENER

***1.19** There are three sets of colloquial adjuncts which are used to indicate to the listener certain dialogue initiatives or attitudes taken by the speaker. With the first set (1.20), the speaker signals a thought that has just occurred to him as relevant, necessary, or of interest, but which, for the listener, constitutes a largely or totally unexpected digression. With the second set (1.21), the speaker expresses a truculent or dogmatic attitude that he is not willing to argue about what he is saying, and with the third set (1.22), he dismisses the need for further discussion or consideration of a topic (which is quite often a suggestion for necessary action). As can be seen, the second and third sets of adjuncts usually add a brusque note to the sentence.

***1.20** *A propósito* / *Por cierto* / *A todo esto* } *By the way* / *Speaking of...*

Examples:

Llamó al mozo [*waiter*], mientras decía:
—A propósito, me preguntaste muchas veces por Bruno. Ahora te lo presentaré. (E. Sábato, *Arg.*)

—Me alegro. ¿Qué tal tu fin de semana? Por cierto, ¿te encuentras ya bien? (J. G. H.)

—¡Ah, por cierto!... Con las prisas, he salido de casa sin un céntimo y pensaba comprar unas cosas. ¿Podrías dejarme algún dinero? (J. Calvo Sotelo)

—Si todos tomáramos el mundo como César, como debe tomarse, a broma.
—A todo esto, ¿ha habido alguna novedad? ¿Llegó el heredero? (J. Benavente)

*Notes

1. Sentences introduced by *Te advierto que,* and by *(Y) Conste que,* as well as indicating warnings, may have a similar function:

—Pero es que no se puede faltar ni un solo día.
—Calla, que te conozco. Explica inmediatamente lo que has hecho desde ayer. Te advierto que Dora está que trina contigo. (J. G. H.)
... By the way, Dora's furious with you.

—Escúchame: y conste que eres la primera persona a quien voy a confiar este secreto. (C. Gorostiza, *Mex.*)

—Porque al fin la veo sonreír una vez. Y conste que lo hace maravillosamente bien. (A. Casona)

—Y conste que no me gusta hacer juicios temerarios, de sobra lo sabes. (M. D.)

2. The parenthetical expression *dicho sea de paso* is also found with a somewhat similar function in standard Spanish and is equivalent to *by the way; and I might add; and, what is more.*

***1.21** *Para que lo sepa(s)* *¿Estamos?*
Para que te enteres *¿Me oye(s)?*
Para que se entere *¿Lo oye(s)?*
¿Te enteras?
¿Entiendes?

These adjuncts add a particularly subjective or emotional note to the sentence in which they occur. English equivalents are: *OK?, D'you hear me?, Get it?, Let me tell you, If you must know, I'll have you know,* etc.

—Y para que lo sepas de una vez, yo no cedo ni puedo ceder. (B. P. G.)
Let's get one thing straight: I'm not giving in. I can't.

—Y eso no se puede hacer, para que lo sepas. (M. D.)
That just can't be done, d'you hear me?

—El wáter lo atascó un colega suyo, para que se entere, poco después de la Liberación. (Sara Suárez Solís, 140)

—Escucha, Mauro. Te voy a hacer una pregunta. Y esta vez no te toleraré que me mientas. ¿Estamos? (A. B. V.)

—Está bien; te doy el pan, pero te vas de inmediato, por donde entraste, ¿entiendes? (E. Wolff, *Chile*)
All right, I'll give you the bread, but then you must leave immediately, the way you came in, OK?

—Pero resulta que no tenemos derecho, ¿te enteras?
—Ya, ya... Bien. ¿Y qué? (J. Calvo Sotelo)
«*But it so happens that we have no right to do it, understand?*»
«*Yeah, yeah... OK. So what?*»

***1.22** *Y a otra cosa*
Y adivina quién te dio
Y ahí queda eso
Y aquí no ha pasado nada
Y aquí paz y después gloria
Y en paz
Y listos
Y pare usted de contar
Y santas pascuas
Y se acabó
Y todos tan amigos
Y ya está

English:

And that's that
And that's all there is to (say about) it
And no messing about
Just like that
It's as easy as that

Examples:

—Va a ser peor el remedio que la enfermedad.
—Pues así lo he dispuesto yo, y se acabó. (S. Eichelbaum, *Arg.*)
«*The cure will be worse than the illness.*»
«*Well, that's what I've decided, and that's that.*»

—Si resulta que me equivoco, usted me advierte y listos. (J. Calvo Sotelo)
If it turns out I'm wrong, all you have to do is tell me.

—A usted le duele el estómago, yo le mando traer bicarbonato y todos tan amigos. (Sara Suárez Solís, 131. (See also 4.37.)
If you get stomach ache, I'll send for some bicarbonate and you'll be right in no time.

—Si hay un médico que dice que está chaveta o que es un retrasado, se le encierra y en paz. (M. D.)
If some doctor says he's nuts or mentally retarded, we just get him locked up and that's all there is to it.

—Somos eso, blandengues, y en cambio hay que ser duros, como son estos tipos. Al negocio y se acabó. Lo que sirve, sirve, y lo que no sirve, no sirve.
(M. Benedetti, *Urug.*)

* OTHER VERBAL EMPHASIZERS

***1.23** Certain types of sentences or clauses (i. e. questions, imperatives, negative statements, and hypotheses) may be accompanied by colloquial adjuncts which give them particular types of stress. They have approximately the dialogue values of the suggested English equivalents.

***1.23.1** *¿Qué?* or *¿Y?* preceding a question
(Well?; Answer)

Examples:

—¿Qué? ¿Diste con el número?
—Sí. (J. Calvo Sotelo)
Well? Did you find the number?

—Qué, ¿no puede usted dormir? (J. F. S.)

—¿Y? —dijo el hombre—. ¿En qué quedamos? (M. V. L.)
Well? ... What's the answer, then?

*Note

See also 2.18 and 4.6.1.

***1.23.2** *de una vez* following an imperative or a suggestion
(*Just;* voice stress, or both)

—¿Qué haces ahí, Daniela? Entra de una vez. (A. B. V.)
... Come on IN.

—Hágalo de una vez.
Just DO *it.*

***1.23.3** *en absoluto* or *para nada* following a negative verb
(at all)

—No me importa en absoluto.

—Yo le aseguro que muy pronto no se notará para nada la falta de Fred.
(Ramsey, 212)

*Note

For *en absoluto* as a ritual negative response, see 2.13.

***1.23.4** *es que* or *acaso* following *si (=if)*
(*really, by any chance,* or voice stress, to make the hypothesis sound even more unlikely)

—Sal entonces... Si es que te crees capaz de ello. (A. Sastre)

—Alquile usted un cuarto inmediatamente, si es que lo hay. (J. J. Arreola, *Mex.*)

—Si acaso quieres llamar, ya sabes dónde estoy. (Seco, 311)

***1.23.5** *de verdad* in a question or a *si*-clause
(really)

—¿Quieres de verdad que lo haga?
—Si de verdad son hombres..., lo demostrarán, por lo menos una vez, en el momento más inesperado. (J. Torbado)

OTHER SENTENCE ELEMENT EMPHASIZERS

1.24 The second general class of colloquial adjuncts all have the effect of bringing to prominence an element of sentence structure other than the main verb. These adjuncts usually occur in spontaneous emotional reactions, which in English are rendered by voice stress, the addition of intensifying elements like *really*, or an expletive (e. g. *He said* THAT?; *I was* REALLY *exhausted; The damn fool!*). Because they are so characteristic of emotional colloquial Spanish, certain features of word order arrangement which fulfil the same basically emphatic function have been included here.

FOCUSSING

1.25 Colloquial devices which permit the spontaneous expression at the beginning of the sentence of a dominant element (usually, but not necessarily, the sentence element with principal stress) are of two sorts: rearrangement (or 'dislocation') of standard word order (1.26), and the inclusion of focussing adjuncts equivalent to English *As far as... is concerned* (1.27).

1.26 WORD ORDER REARRANGEMENT

1.26.1 *Object (or complement) precedes verb*

This type of word order arrangement allows the spontaneous expression at the beginning of the sentence of the direct object (or complement). This is particularly frequent with pronoun objects like *eso, nada, algo, mucho, poco, tanto,* and other direct objects or complements denoting quality, quantity, or degree.

—Eso dijo.
THAT'S *what he* SAID.

—Algo habrá.
There MUST *be* SOME*thing.*

—Nada conseguirá con esa actitud.
You won't achieve ANY*thing with* THAT *attitude.*

—Mala impresión debimos producir. (G. T. Fish, 1959, 587)
We must have created a VERY *bad impression.*

—Veneno les daría yo. (Anna G. Hatcher, 1956b, 34)
I'D *give them* POISON.

—Muy tranquilo estás tú.
YOU'RE *very* CALM.

—Mucha prisa traes tú hoy. (Moliner)
YOU'RE *in a great* HURRY *today.*

—Hasta tres cuerdas de ropa llenaba yo. (L. Olmo)
I *used to fill as many as* THREE *lines with washing.*

—Demasiado metido dentro de sí le encontré yo la noche que vino por aquí.
I *found him* FAR *too* IN*troverted the night he came here.* (J. A. de Z.)

NOTE

Care should be taken to distinguish between this type of word order —OV or CV— and the similar-looking but much more general arrangement of *object + additional (resumptive) object pronoun + verb (+subject)* —OoV(S)— which is common in standard Spanish and where the stress is on the last item in the sentence:

—La casa la compró mi padre.
My FATHER *bought the house/The house was bought by my father.*

—Eso lo soñaste.
You DREAMT *that.*

—... Ya sabemos que ganaste la guerra.
—¡La guerra! ¡La guerra no la gana nadie! (C. Gorostiza, *Mex.*)

More colloquial is the arrangement where an object precedes an imperative and a resumptive object pronoun follows —OVo:

—Los versos, déjalos —dijo Silda. (Keniston, 41)

—El olvido en que nos tuvo, mi hijo, cóbraselo caro. (J. Rulfo, *Mex.*)

1.26.2 *Subject precedes verb in a question*

Here again standard word order is dislocated by the expression of what is uppermost in the speaker's mind. Where the subject is a subject pronoun, the tone is usually brusque:

—¿Tú qué sabes? (Keniston, 41)

—¿Y eso qué tiene de malo? (G. Cabrera Infante, *Cuba*)

—Las chicas del barrio, vuestras amigas, ¿se reúnen también allí con vosotros? (J. Marsé)

—¿Y esa caja qué es? (M. M.)

—Cállate y dime una cosa. ¿Vosotros cuándo os vais a casar? (M. M.)

NOTE

The expression of the subject pronoun either before or after the imperative is yet another example of emotional focussing (by addition) and usually gives the imperative a more peremptory tone:

—Tú, cállate/Cállate tú.

1.26.3 A further form of dislocation for emphasis is where the subject or object (less frequently the complement) of a subordinate verb precedes the main verb, particularly when the latter is a verb denoting an opinion.

—Yo es posible que no vuelva nunca. (L. C. Harmer and F. J. Norton, 507)
I *may* NEVER *return.*

—El reloj parece que se ha parado.
It looks as though the CLOCK *has* STOPPED.

—No me divierten las historias.
—Esta, estoy seguro que te gustará. (I. García, *Dominican Republic*)
I'm SURE *you'll like* THIS *one.*

—Nicasio hace mucho tiempo que dejó aquella oficinilla de mala muerte.
(R. Rodríguez Buded)

—Tú mismo has reconocido que algunos compañeros estaban cansados de la lucha.
—Bueno, cansados yo creo que estamos todos —respondió Genaro. (J. L. C.-P.)

*1.27 FOCUSSING ADJUNCTS

***1.27.1** The adjunct *lo que es* is used at the beginning of a sentence or clause to focus atention on a reference point felt as relevant or important by the speaker. Usually, the reference is to his own opinion *(lo que es yo/a mí/para mí)*, but it can also be to other pronouns, noun phrases, or adverbial expressions.

—Pues lo que es yo, chiquillo, me acuesto. (B. P. G.)
Well, as for me, I'm off to bed.

—¡Qué primor de rebaños! ¡Lo que es a mí, me chalan las ovejitas!
(F. García Lorca)
Look at those lovely flocks of sheep! I just adore little lambs.

—Tu nueva droga, en América puede que tenga éxito... Pero lo que es en Europa... (M. M.)

***1.27.2** Similar to the use of an infinitive for emphasis or hesitation centred on the main verb (see 1.10) are the following patterns involving adjectives and/or *como* as focussing adjuncts:

a) *como* + adjective + a repetition of the adjective;

b) an initial adjective repeated.

The first of these patterns, which adds spontaneous emphasis to the adjective, seems to be particularly associated with the use of the adjective *guapo*; the second, which is used as a hesitant answer to a question, may be preceded by another adjunct of hesitation (e.g. *pues*, etc.; see 1.7 and 2.22).

—Como guapa, es guapa. (Beinhauer, 288)
She is REALLY *pretty.*

—Y como pesado, ¡vaya si era pesado! (Ramsey, 355)

—Pero, ¿es ya fijo que vas a hacer esa película y que te podremos llamar artista?
—Hombre, fijo, fijo, no hay nunca nada, pero la cosa parece que va por buen camino. (C. J. C.)
Well, nothing's ever CERTAIN, *but things look pretty optimistic.*

*NOTE

See also 2.15.3.

* EMOTIONAL INTENSIFICATION

***1.28** The standard devices for intensifying adjectives, adverbs, verbs, and nouns are *muy, tan, mucho, bastante,* and *demasiado.* Colloquial equivalents and variations of these are described in Chapters 3 and 5. However, there are a few other more general intensifying devices which may be appropriately considered as colloquial adjuncts. In 1.29 various uses of repetition are considered, and in 1.30 expletive intensifying adjuncts are listed.

*1.29 REPETITION

***1.29.1** The simplest form of emotional intensification is the repetition of a sentence element, sometimes with the addition of *y.* In English, repetition is also possible but seems less frequent. Voice stress will often be required in translation.

—No, no, no, no.
—Sí, sí, sí, sí.

—La querría siempre, siempre, siempre. (Sara Suárez Solís, 216-217)

—Siempre siempre es lo mismo. (V. Lamíquiz, 22)

—Hay que aprender nombres y nombres y nombres. (V. Lamíquiz, 21)

—Casi casi lo perdimos.

***1.29.2** Nouns, adjectives, adverbs, and verbs may also be emphasized by repetition and/or by the addition of *pero* or *pero que.* With adjectives and adverbs, further intensification may be signalled by adding *muy* to *pero* or to *pero que.* In English, the following translation equivalents are available: repetition (including *very very*), voice stress, or intensifiers (*very, terribly,* etc.).

—... todos los hombres del mundo, menos él..., no valen nada. Pero nada, nada. (V. R. I.)

—Lo vi patearlo así, pero patearlo. (Cecilia Rojas Nieto, *Mex.*)

—No tengo ninguna esperanza, pero ninguna; me lo puedes creer. (B. P. G.)

—¡Te abro en canal, pero que en canal!, ¿me oyes? (J. Polo, 1969, 50)
I'll really split you in half, you hear me?

—Ayúdame, ¿quieres? Estoy muy, pero que muy borracha. (J. Marsé)

—... estáis pero que muy equivocados. (M. D.)

—... es muy cortita..., pero que muy cortita. (M. D.)

—Me he asomado a la barandilla y le he visto bajar, pero que muy despacito..., pero muy despacito. (M. M.)

—¿Qué le parece?
—Pues que muy bien me parece a mí todo esto, pero que muy bien. (C. J. C.)

*NOTE

For other uses of repetition, see 1.10, 1.27.2, 1.30.1 and 5.9.

***1.29.3** Also used to stress a repeated adjective, noun, or infinitive are the adjuncts *lo que se dice* and *lo que se llama*, which may be translated as *real* or *really*.

—Yo creo que peligro, lo que se dice mucho peligro, no corremos por ahora. (F. Umbral)
I don't think we're in DANGER, *not in any* REAL *danger, at the moment.*

—¿Ves?... No será estético; pero muy feo, lo que se llama feo, no es tampoco. (E. Barrios, *Chile*)
*You see? It may not be att*RACT*ive, but it isn't really* UGLY *either.*

—Y con lo que tenemos podemos vivir en cualquier parte; y vivir, lo que se llama vivir, que no es este estarse repitiendo a toda hora: «pienso con la cabeza del Señor Presidente, luego existo...» (M. A. Asturias, *Guatemala*)
... and I mean REALLY *live, not like now when we have to keep on repeating all the time: «I think with the President's brain, therefore I exist...»*

*NOTE

si los hay performs a similar function after noun phrases:

—Es un ser depravado si los hay. (Moliner)
He's really corrupt/He's a corrupt man if ever I saw one.

*1.30 EXPLETIVES

The use of expletive adjuncts to intensify adjectives, nouns, and interrogative words, however vulgar, is as much a feature of colloquial Spanish as any other. Such adjuncts intensify three types of sentence component: adjectives and nouns (1.30.1 and 1.30.2), and interrogative words (1.30.3).

***1.30.1** To add a generalized reproachful or insulting intensity to an adjectival noun (cf. English *You great...*; *The bloody/great...*), the following adjuncts are used:

el muy (+adjectival noun);
(adjectival noun+) *más que*+(adjectival noun repeated);
so (+adjectival noun).

—¿Pues no dice que ve a Dios, el muy borrico? (B. P. G.)
But the damn fool claims that he sees God, doesn't he?

—¡Idiota, más que idiota! (Keniston, 145)
You great fool!

—Pilar..., ¿puedo confiar en ti? ¿Me ayudarás?
—¡Qué cosas tienes, tonto, más que tonto! ¿No ves que te quiero con toda mi alma? (J. M. Gironella)

—¿Comprendes, so tonto? Los curas han sido siempre así. (J. M. Gironella)

***1.30.2** The following are examples of expletive adjectives and other noun qualifiers. English equivalents are: *damn, blasted,* and, in the last case, *bloody* (or a taboo expletive adjective):

condenado / *maldito*
del diablo / *del demonio*
pajolero / *puñetero* [*vulgar*]

Examples:

—Gato del diablo. ¡Largo de aquí! (Sara Suárez Solís, 142)
Get out, you damn cat!

Intuía el sermón que iba a caerle encima.
—Todo por la pajolera carne —le diría—. Ya ves a lo que te ha conducido la pajolera carne. (Mercedes Salisachs)

Manolo, al cabo de un rato, se hurgaba en el bolsillo.
—Ni una puñetera peseta —murmuraba. (I. Montero)

*Note

See also 5.17 and 5.2.2 note.

***1.30.3** In questions, the range of expletives, which follow and intensify the interrogative word, is from the mild, e. g. *diablos, demonios,* and euphemistic, e. g. *(¿por qué) regla de tres?,* to the stronger and taboo forms, which are represented in token fashion in the final four examples below:

—¿De dónde diablos es usted?
Where on earth are you from?

—¿Pero por qué regla de tres vas a ser tú distinto de los demás? (R. S. F.)
But why the dickens should you be any different from the rest?

—Arsenio, ¿cómo se llama este pez?
—¿Qué carajo sé yo? ¿Te crees que soy un naturalista?
(G. Cabrera Infante, *Cuba*)
How the hell should I know?...

—¿Qué chingados va a entender? (C. Fuentes, *Mex.*)

—Y tú, hija, ¿estás virgo?
—¿Y a usted qué leche le importa? (C. J. C.)

—¿Puede saberse qué coño significa todo esto? (J. Goytisolo)

*NOTES

1. The colloquial interrogative *¿a qué?* (see 5.4.2) may take the mildly expletive form *¿a santo de qué?:*

   —¿A santo de qué te va a pegar un guardia por atravesar el parque en bicicleta? (M. D.)
   Why on earth would a policeman hit you for cycling across the park?

2. See also 5.4.1.

SUPPLEMENTARY EXAMPLES FOR STUDY AND TRANSLATION

A

1. A: —¿Cómo le va, señor Torres?
   B: —¿Qué tal, Héctor?
   C: —¡Ah! Pero ¿se conocían ustedes? (C. Gorostiza, *Mex.*)
2. ¡Ah! ¡Si yo no hubiera tenido tanta confianza...!
   ¡Pero si he sido una tonta, si me creí que tú no eras capaz de mirar a una mujer! (B. P. G.)
3. —Dáselo mañana.
   —Si ya se lo he dado.
4. —¡Ah! ¿Eres tú, Luisín? ¡Yo creí que era Ponce, con los billetes...! ¡Y nos prometió venir a las dos! (B. P. G.)
5. —¿Que no sabes cómo se llama esa chica? (J. A. Payno)
6. —Déjala, que la vas a ahogar. (J. A. de Z.)
7. —Date prisa, que vamos a llegar tarde.

8. —¿Estás seguro de eso?
—¡Que si estoy seguro!

9. —¿Llueve?
—¿Cómo? ¿Qué dices?
—Que si llueve. (J. Marsé)

10. —No puede entrar.
—¿Cómo que no puedo entrar? Yo puedo entrar donde se me antoje en esta casa. (J. Donoso, *Chile*)

11. —Usted no puede hacer eso, patrón.
—¡Cómo que no puedo! (C. Gorostiza, *Mex.*)

12. —Llegaron anoche.
—Ya lo sé.

13. —Primero, iré a arreglar unas cosas en mi pensión.
—Ya lo harás luego. No hay prisas. (A. Sastre)

14. —¿Otro reproche?
—¡No! Ya sabes que yo no tomo en serio esas cosas que tanto atormentan a Julia y a ti. (R. Usigli, *Mex.*)

15. —Pero si no lo conozco.
—Sí que lo conocés. (S. Eichelbaum, *Arg.*)

16. —No sé qué me pasa.
—Yo sí sé. (S. Eichelbaum, *Arg.*)

17. —Sí, sí, le quiero como a un hijo... En eso sí que acierta usted. (J. Calvo Sotelo)

18. —Pero si está usted tan bien.
—Ay, mujer, tú sí que tienes buen aspecto. (R. Rodríguez Buded)

19. —Entonces ¿por qué quieres casarte conmigo?
—No lo sé. El día que te propuse matrimonio sí lo sabía, pero ya se me olvidó. (J. Ibargüengoitia, *Mex.*)

20. ... se dispone a casarse... con una viuda de San Sebastián... Una aristócrata, eso sí, nadie lo niega. Pero, hijito, una aristócrata rarísima. (V. R. I.)

21. —No le he llamado todavía.
—¡Pues llámale ahora mismo!

22. —¿Sabes hacerlo?
—Pues, creo que sí.

23. —¿Cuándo vendrás a vernos?
—Bueno, no lo sé todavía.

24. —Oye..., ¿dónde has ido por el papel?
—Es que había cola, señorita. (C. J. C.)

25. —¿Vinieron muchos?
—No, es que tienen miedo. Ellos dicen que es por el olor, pero lo que pasa es que tienen miedo. (J. F. S.)

26. —¿Qué pasa?
—Verás, es que él quería preguntarte algo y le dije que estabas ocupado.

27. —¡Hola! ¿Qué hay? ¿Cómo andas? —saludó el hijo.
—Ya ves... (J. A. de Z.)

28. Leía de corrido, escribía para entenderse y conocía y sabía aplicar las cuatro reglas. Bien mirado, pocas cosas más cabían en un cerebro normalmente desarrollado. (M. D.)

29. No comprendo por qué, en el cuento, se vuelca toda la simpatía hacia la Cenicienta, que no aporta más que un zapato, al fin y al cabo. (J. López Rubio)

30. ¿Qué era, al fin de cuentas, lo que yo tenía en concreto contra María? (E. Sábato, *Arg.*)

31. —Usted sabe muy bien que no puedo hacerlo...
—¿Por qué no? Después de todo, ésta es su casa, caballero. (E. Wolff, *Chile*)

32. —Usted dijo, hace un rato, que deberíamos vernos más a menudo, ¿no es así? (C. Gorostiza, *Arg.*)

33. —¿Verdad que es una vista encantadora? ¡Pues de día es aún más linda! (M. M.)

34. —¡Fuensanta! —grita una mujer dentro.
—Es mi madre. ¿Volverás pronto?
—Lo antes posible.
—... Ya voy, madre. ¿Es que no puede una ni tomar el aire? (A. M. de Lera)

35. —Acércate, así, para que te vea bien.
—Pero ¿es que no me ha visto otras veces? (M. de Unamuno)

36. —Decís que los bancos de la iglesia son duros. ¿Son acaso más blandos los de ese local inmundo? (Mercedes Salisachs)

37. —Gerardo me habló abundantemente de él mismo y luego de mi situación en Barcelona.
—Conque solita, ¿eh? ¿De modo que no tienes padres? (Carmen Laforet)

38. —De manera que yo debo callarme.
—Sí. (V. R. I.)

39. —¿Así que estás resuelta a darle ese dinero a Zabala? —preguntó por cuarta vez esa mañana.
Constancia ... hizo un signo afirmativo con la cabeza. (G. Casaccia, *Paraguay*)

40. —Entonces, ¿preparando el veraneo?
—Falta mucho [*tiempo*] todavía. (J. F. S.)

41. —Hasta el domingo, pues.
—Hasta el domingo. (J. L. C.-P.)

42. —¿Su papá de usted se llama Cirilo?
—Miguel, Miguel. Por cierto que no sé lo que hace. (S. and J. Álvarez Quintero)

43. Poco pudieron hacer.

44. Muchos disgustos le proporcionaba aquella criatura. (Anna G. Hatcher, 1956b, 34)

45. —¿Se han ido?
—Eso parece.

46. —¿Eso dijo?

47. Diez mil pesos pidieron por el coche.

48. ¿Ellos qué saben?

49. Yo hacía varios años que no le veía. (Keniston, 41)

B

Exercise 1. Sections 1.0-1.14

1. —Primero haré periodismo.
—¡Pero si tú nunca has escrito una línea!
—¿Y eso qué te importa, pelmazo? (S. Salazar Bondy, *Peru*)

2. —Yo creo que va a haber tormenta.
—¡Cómo que va a haber! Si la tenemos encima para reventar de un momento a otro. (A. M. de Lera)

3. —Es roñoso este Ñato, ¿eh?
—Ahora que no está no hables mal de él, che.
—Y bueno... ¿No es un roñoso, acaso? (C. Gorostiza, *Arg.*)

4. —Ya sabes, Augusto, que me tuve que casar muy joven.
—¿Que te tuviste que casar?
—Sí, vamos, no te hagas el de nuevas, que la murmuración llega a todos. (M. de Unamuno)

5. —Por cierto, Laureano, prepáreme unas notas... sobre el tema del ejercicio físico... *mens sana in corpore sano;* pero sin lo de *mens sana,* que ya lo tengo muy repetido. (C. J. C.)

6. —Con cinco millones se podían hacer cosas... [=*podrían*].
—¡Que si se podían hacer cosas! ¡Con cinco millones se hacían hasta hospitales! (J. L. C.-P.) [=*se podrían hacer*].

7. —¡Y tú no estás vivo!
—¿Cómo que no estoy vivo? ¿Es que he muerto? (M. de Unamuno)

8. —Estoy muy triste.
—Ya se te pasará.

9. —Todo lo malo va a parar al hígado. Tú, por lo visto, no tienes hígado.
—Sí que lo tengo. A veces me duele. (C. Muñiz)

10. —Un tonto está sentado al sol, hartándose de albaricoques.
—Mire usted ése; ése sí que entiende la vida. (C. J. C.)

11. —En lo que sí se equivocó fue en haberle brindado puesto en el bongo a ese individuo. (R. Gallegos, *Venez.*)

12. —Fíjese que hoy en día, doctor Mesa, con los *jets,* usted puede poner de aquí a Europa menos horas de vuelo que días de navegación. Algo despampanante... Eso sí, como distensión nerviosa, como cura de reposo... a todo el mundo le aconsejo el barco. (M. Benedetti, *Urug.*)

13. —Yo no he dicho que me gustaría que la vida fuera eso. Pero me preocupa, eso sí, darme cuenta de que nadie sabe lo que es. (J. M. Gironella)

14. —¿Quién no tiene secretos? Bueno, yo no los tengo, porque no les doy tiempo a que se hagan secretos. (S. Eichelbaum, *Arg.*)

15. —¿Dónde estuviste anoche?
—¿Anoche? Pues, verás, fui al garaje, saqué el coche pequeño y estuve por ahí. (V. R. I.)

16. —Hombre de Dios, yo creí que era alguna cantidad medio respetable; ¿pero eso? ... Nada, déjeme sus señas, y esta tarde tendré el gusto de enviárselas. (Beinhauer, 97) [=*las pesetas*]

17. —¿Te has quedado mudo?
—Es que... me ha pillado tan de sorpresa. (J. L. C.-P.)

18. Lo que hay es que los alemanes... se fiaron demasiado de los italianos. (C. J. C.)

19. El guardia Julio García Morrazo era feliz en su oficio; subirse de balde a los tranvías era algo que, al principio, le llamaba mucho la atención. "Claro —pensaba—, es que uno es autoridad." (C. J. C.)

20. —Él pagará... Este americano es bueno, lo que pasa es que está un poco bebido... (J. L. C.-P.)

21. —Se ve que te sobra mucho dinero, chico; no piensas más que en gastártelo.
—Sobrarme no me sobra, pero, ¿para qué sirve si no es para gastarlo? (J. F. S.)

22. —¿No se puede querer a un solo hombre, a uno solo?
—Como poder, se puede, sí, pero es que son muchas a querer a mi hijo, y como él no quiere a una sola mujer..., pues se da a todas. (S. Eichelbaum, *Arg.*)

23. Si yo no me he divertido más ha sido porque no he querido..., y si no me casé no fue por falta de ocasiones, que tenerlas las he tenido, como la que más, en este pueblo. (J. F. S.)

24. —Ahora dígame lo que sepa del atentado.
—Pues como saber, saber... Pero sospechar, sí. (W. Cantón, *Mex.*)

25. Óyeme, mira: fuimos a comer al... este..., al Corregidor, ¿verdad? Allí en la plaza Real. (J. M. Lope Blanch, 1971, 188)

26. Pues yo me alegro, la verdad. Se lo merecen. (R. Rodríguez Buded)

27. —Pero tienes que decirle algo, tienes que dejarte caer por aquí, por lo menos. Vamos, digo yo, metiéndome en lo que no me importa. (J. L. C.-P.)

28. —Un año me puso un pleito uno de gafas de allí... Pero se lo gané; y sin agarrarme a nadie, no crea. (R. S. F.)

29. —Tiene sus bemoles estar casada con un diplomático de carrera, no creas. (C. Fuentes, *Mex.*)

30. Ahora caía en la cuenta de la vacilación que había tenido la mucama la primera vez que hablé por teléfono. ¡Qué grotesco! Pensándolo bien, era una prueba más de que ese tipo de llamado no era totalmente novedoso. (E. Sábato, *Arg.*)

31. "Seguramente, en la ciudad se pierde mucho el tiempo —pensaba el Mochuelo— y, a fin de cuentas, habrá quien, al cabo de catorce años de estudio, no acierte a distinguir un rendajo de un jilguero." (M. D.)

32. Después de todo, que su padre aspirara a hacer de él algo más que un quesero, era un hecho que honraba a su padre. Pero por lo que a él afectaba... (M. D.)

33. —Porque cuando te casaste conmigo, no sé si te acordarás, pero por toda dote trajiste un colchón viejo de lana y un paragüero.
—Tampoco es que tu ajuar fuera muy lucido que digamos. (J. Salom)

34. ... que, te pones a ver, y el noviazgo es el paso más importante en la vida. (M. D.)

Exercise 2. Sections 1.15-1.30

1. —¿Verdad que ha salido muy bien?
—Es cierto. (R. Rodríguez Buded)

2. ¿Es que este señor ha pasado por alto las consecuencias posibles del pánico que cundió...? (letter to *Blanco y Negro,* 5-5-73)

3. ¿Acaso Dios podría permitir que le ocurriese alguna desgracia? (W. Cantón, *Mex.*)

4. Román levantaba una ceja.
—¡Ah! ¿Conque es eso lo que motivaba las huidas en estos días? (Carmen Laforet)

5. —¿Conque esas tenemos, eh? ¿Conque se rebelan? Muy bien. El que combate contra nuestro zar es un criminal político, ¿comprendes? (M. Aub)

6. —Voy a tener un niño. Un niño que es fruto de tu irresponsabilidad y egoísmo.
—¿De manera que quieres achacarme el crío a mí? (J. Díaz, *Chile*)

7. —¡Caramba!... ¿Usted como que piensa cambiar las costumbres del Llano?
—Justamente. Eso me propongo. (R. Gallegos, *Venez.*)

8. ... surgió una voz ronca y autoritaria: "Buenas noches. ¿Como que se conversa?"
Era un indio alto, fuerte... Al solo efecto de su presencia todos enmudecieron. (A. Uslar Pietri, *Venez.*)

9. —¿Cómo? ¿De modo que Paiba es el amante de turno de doña Bárbara?
—Pero ¿usted no lo sabía, doctor? (R. Gallegos, *Venez.*)

10. —El coche puedes dejarlo en un garaje. Y tomar una habitación en el hotel, para despistar.
—O sea, que se da por supuesto que me quedo hasta...
—No, no digas hasta cuándo... (J. G. H.)

11. —¡Un té a beneficio de los suburbios! ¡Jesús! ¡Qué pesada se pone la duquesa con los suburbios!... Por cierto, allí estaba Lina Mendoza. ¿Conoces? Esa estrella de cine. (V. R. I.)

12. —¿Qué hay, Lorenzo, guapo?... Ven aquí... Que conste que he mandado poner los platos que a ti te gustan. (J. A. de Z.)

13. —Conste que me enteraré de lo que hay de verdad en todo esto. Le puede costar muy caro a usted el engañarme. (Carmen Laforet)

14. —Yo no me muevo de aquí. ¿Te enteras?

15. —Tú te callas, ¿estamos? (A. Berlanga)

16. —Pues, para que lo sepas, hasta en Londres se me conoce. (Mercedes Salisachs)

17. —Bueno. Se acabó el ensayo...
—¡Ah! Pero ¿estabas ensayando?
—¡Naturalmente! ¿Es que no se nota? Pues para que te enteres: dentro de ocho días debutaré como actor en un teatro de cámara. (V. R. I.)

18. —Estás idéntico. Si acaso, algo más pálido. Y se acabó. (J. Calvo Sotelo)

19. —Bajáis conmigo, abrís la puerta de la calle, a estas horas desierta; dejo a ese desdichado joven en medio del arroyo, y adivina quién te dio. (Beinhauer, 343)

20. —¿Qué? ¿Sigue llorando, no? (J. Calvo Sotelo)

21. —¿Por qué no terminas de una vez?

22. —Se acabó todo, como el dinero de la familia..., si es que la familia ha tenido dinero alguna vez. (B. P. G.)

23. —Buena tarea has hecho.

24. —... y usted lo tiene tan organizado que a ellas les encanta. ¿No ve que hasta las multas le aguantan [*ellas*] sin chistar? (M. V. L.)

25. —El brazo izquierdo hubiera dado yo por poder apretar con el derecho, una vez sólo, la cintura del Cid. (A. Gala)

26. —¿Eso dijo?

27. —¿No sabes que los comunicados los firma el Ministro, que las conferencias de prensa las da el Ministro? (M. V. L.)

28. —Es una niña...
—¿Y eso qué tiene de malo? (G. Cabrera Infante, *Cuba*)

29. —Eres un romántico.
—Vosotros, qué sabéis lo que es ser romántico? Soy como se debe ser. (J. A. Payno)

30. —Para los niños, el orden ya se sabe que no es más que una incomprensible imposición. (M. Gorosch, 1973, 28)

31. —Pues el padre me parece a mí que ronda mucho esa habitación. (R. Rodríguez Buded)

32. —Yo hace por lo menos cinco años que no voy a Asunción. (G. Gasaccia, *Paraguay*)

33. —Descuida, chico, lo que es por mí no lo sabrá nadie. (B. P. G.)

34. —... pero lo que es yo, te digo, no estoy nada contento con el asunto. (M. V. L.)

35. —... él no pensaba así cuando permanecía en el sitio mirando con manifiesta complacencia los fornidos encantos de la moza. Porque como guapa era guapa Ramona. (R. Fernández Guardia, *Costa Rica*)

36. —Según esto, ¿qué cantidad de tiempo libre disfruta usted al año?
—Pues libre..., libre..., las vacaciones normales y luego los domingos y sábados por la tarde. (M. Gorosch, 1973, 21)

37. —No me acuerdo de nada. Pero que de nada. Si es que no sé nada. (J. M. Rodríguez Méndez)

38. —Tiene usted razón, pero que mucha razón. (C. J. C.)

39. —... Paco, como hombre, estaba pero que muy bien. (M. D.)

40. —Sí, soy yo. No me esperabas, ¿eh?
—Ahora mismo, pero lo que se dice ahora mismo, estábamos hablando de ti, Santana. (J. M. Rodríguez Méndez)

41. —Un auténtico jefe, lo que se dice un guerrillero de veras, lo sacrifica todo por la revolución, aun a sus mejores amigos. (E. Caballero Calderón, *Colom.*)

42. —Me encontré a un tal don Pascasio Bonetillo, hombre beato si los hay. (Keniston, 59)

43. —¿A qué viene ése?
—Dice que a ver a Juana.
—El muy sinvergüenza. (A. Sastre)

44. —¡Ignorantes, más que ignorantes! ¡Eso es lo que sois vosotros, unos ignorantes! (C. J. C.)

45. —Me hubiera gustado darle un poco de coñac, pero no sé dónde diablos lo he metido. (J. Goytisolo)

46. —Es una cuestión de estética.
—¿Estética? ¿Qué carajo tiene que ver la estética con eso? (J. Goytisolo)

47. —Que si no llaman a un médico, como sería lo natural, es porque la madre no está mala, sino que lo finge.
—¿A santo de qué?
—Para retrasar la boda. (M. M.)

2

SITUATION-BASED RITUAL SENTENCES

2.0 In this chapter, which inevitably poaches across the boundaries of syntax into lexicographical territory, are grouped a variety of ready-made colloquial sentences and sentence formulae representative of the store of special ritualized syntactical and semantic units which are frequently used as responses or initiatives in dialogue situations, either alone or as parenthetical additions to other sentences. Examples have been selected either because they are used as complete units in predictable situations (e.g. courtesy sentences and formulae) and/or because aspects of their syntax or meaning are different from those of standard or 'literal' sentences. (It should be noted that, where the term 'response' is used, it implies a reaction to a preceding sentence, whether by a second speaker or the same speaker.)

The fact that some of these ready-made sentences are derived from sentence patterns encountered elsewhere in this manual or in standard syntax need not concern us here; for most teaching and study purposes, we should simply accept them —once we know where and why they are used— for what they are in contemporary Spanish: sentences and formulae whose ritualized meaning do not make it profitable or necessary for us to try to break them down into smaller syntactical or semantic units. In this sense, the colloquial sentences listed in this chapter, and others like them, may be regarded as idiomatic sentences which serve one or more dialogue situations or functions.

Throughout this manual, but particularly in this chapter, both with the Spanish examples and the suggested English translations, a wide range of colloquial usage (emotional, social, and geographical) has been covered. Because of this, the reader should, as always with translation, observe the context of a sentence and exercise common sense and linguistic discrimination before deciding on the exact meaning or the closest English version for specific sentences. Perhaps these pages will help him or her to accomplish the task more systematically.

COURTESY

2.1 Of all colloquial ritual sentences and formulae, those required by the rules of courtesy for given situations are among the most stereotyped. In order to keep the material within manageable and useful proportions, I have tried to select (in sections 2.2-2.7) those courtesy sentences which are most frequently met and needed. Although most of them will already be familiar to many readers (which is why I have excluded all but a few of them from the Index), they are included here because they represent important aspects of colloquial Spanish and because they are not usually dealt with in detail outside the larger dictionaries.

2.2 GREETINGS

In addition to *Buenos días, Buenas tardes,* and *Buenas noches,* also frequently heard, at least in Spain, are *Hola, buenas,* and *Hola, muy buenas.* Less formal greetings are *Hola; Hola, ¿qué tal?; Hola, ¿qué hay?; Hola, ¿cómo te/le va?* Usual replies to the latter group are *Bien (gracias); Bien (gracias), ¿y tú?/¿y usted?*

> —Hola, Elvira, ¿cómo le va?
> —Bien, gracias, ¿y usted? (R. M. Cossa, *Arg.*)
>
> —¿Qué tal?
> —Bien, gracias, ¿y usted? (Beinhauer, 135)

On passing someone in the street or elsewhere, *adiós* is the required greeting. (Contrast with English *hi!, hello,* etc., in similar circumstances.)

On the telephone, the greeting varies from area to area, but the most common forms are: *diga/dígame (Spain); ¿bueno? (Mex.); hola, holá* or *aló (Am. Sp.).* (The form *a ver* is reported to be in use in Colombia.)

Typical courtesy formulae to accompany introductions are:

Mucho gusto, señor/señora/señorita.
Tanto gusto (en conocerle/conocerlo), señor.
Tanto gusto (en conocerla), señora/señorita.
Encantado-a (de conocerle, etc.), *señor,* etc.

(One of these forms is normally used again when the first meeting comes to an end.)

NOTES

1. Variant greetings: *Buen día (Arg.); ¿Qué hubo? (Mex.).* The latter greeting is often informally rendered as *¡Quihúbole!*

2. In Spain, and probably elsewhere, it is becoming the rule, among young people at least, to replace the formal introduction formulae with the simpler *Hola* or *Hola, ¿qué tal?*

2.3 FAREWELLS

Hasta luego; hasta lueguito (Am. Sp.); hasta mañana; hasta pronto; hasta la vista; hasta ahora.

Adiós (more formal and, sometimes, more final).

Abur (much less frequent).

(The 'international' variant *chau* [*sic*] is used especially in Argentina but also by young people in other areas.)

NOTE

On taking leave of someone, whether in person, by letter, or on the telephone, one's respects or best wishes to the other person's wife, husband, etc., are presented by the formula *Recuerdos a su* (*esposa*, etc.).

2.4 REQUESTS

The usual polite way of framing a request in Spanish is by using a question form, particularly with the verbs *querer* and *poder:*

¿Quiere abrir(me) la ventana?
¿Me pone un café (por favor)?
¿Nos trae la cuenta (por favor)?
¿Me puedes decir dónde vive?
¿Podría usted decirme su nombre?

Por favor is less frequent in Spanish than *please* in English. Some alternatives are:

¿Me hace(s) el favor de...?
Haz(me) el favor de... } + infinitive.
Haga/Hágame el favor de...
... si me hace el favor.

Ritual requests for directions are of the following types:

¿Me puede dirigir a la oficina de Correos?
¿Para (ir) a Zaragoza, por favor?
¿(Para) La calle Cervantes, por favor?
Disculpe, ¿la calle San Martín? (Frida Weber de Kurlat, 159)

To attract someone's attention *(Excuse me):*

Oiga (por favor).

Other requests:

Con (su) permiso=Excuse me (i. e. before leaving).
(In some parts of Latin America, a reply may be offered: *Es suyo; Propio; Usted lo tiene.*)

¿Me permite?=May I?
(Used as a request when the speaker wishes to do something on behalf of the listener or to see something that the latter has.)

¿Se puede?=May I come in?
(Answered by *Pase* or *Adelante.*)

2.5 WISHES

There are more of these courtesy formulae in common use in Spanish than in English. The most common are:

Que te diviertas. *Que se divierta(n).*	*Have a good time.*
Que te vaya bien/Que le vaya bien. *(Buena) Suerte.*	*Good luck.*
Buenas noches, que descanses. *Buenas noches, que (usted/ustedes) descanse(n).* *Hasta mañana, que (usted) descanse.* *Hasta mañana, si Dios quiere, que usted descanse.*	*Good night.*
Que te mejores. *Que se mejore.*	*(I hope you) Get better soon.*
Enhorabuena. *Felicitaciones.*	*Congratulations.*
¡Bravo! *¡Olé!*	*Well done!* (especially in public spectacles, like sporting events and the theatre).
Feliz Navidad. *Felices Navidades.*	*Merry Christmas.*

Felices Pascuas.	*Merry Christmas* or *Happy Easter.*
Feliz Año Nuevo. *Buen Año Nuevo.*	*Happy New Year.*
Feliz cumpleaños.	*Happy birthday.*
Feliz santo.	*Happy Saint's day.*
Muchas felicidades.	*Happy birthday,* etc. *Congratulations.*
Que aproveche. *Buen provecho.*	Said when witnessing people eating or about to eat.

(The full 'ritual' is for the 'eaters' to offer to share the food with the onlooker by asking him *¿Usted gusta?* and for the latter to decline politely with *Gracias, que aproveche.* Note the negative sense of *Gracias* as a reply to an offer.)

¡Jesús!	Said to someone who sneezes (cf. *Bless you!* and *Gesundheit!*).
Le/La acompaño en el sentimiento.	*My condolences.*
Que en paz descanse. *Que en gloria esté.*	These and other similar ritual sentences are uttered (often as parentheses) when a dead person known to the speaker is referred to.

NOTE

The drinking toasts *A tu/su salud; Salud y pesetas; Salud y pesetas y tiempo para gastarlas* do not seem to be at all as frequent or as automatic —unless prompted by a foreigner— as the English equivalents (*Cheers!, Your health!, Chin chin!*, etc.).

2.6 APOLOGIES

Perdón. *Perdóname.* *Perdóneme.* *Discúlpame.* *Discúlpeme.*	*Sorry.* Also *Excuse me* when interrupting a conversation.
Con (su) permiso.	*Excuse me* (before leaving others or when moving in front of someone).

General: *Gracias; Muchas gracias.*

More formal: *(Gracias) Muy amable; Muy agradecido-a; Dios se lo pague* (normally reserved for very formal use, particularly by someone who accepts charity or a donation (e.g. a beggar or a member of a religious order).

At the end of a telephone call: *Gracias por llamar (¿eh?).*

In reply to wishes (where appropriate): *Gracias, igualmente; Lo mismo (le) digo; Y usted que lo vea* (more deferential or jocular):

—¡Que sea verdad!
—Y usted que lo vea. (C. J. C.)

To dismiss apologies or thanks: *De nada; Nada, hombre; No es nada; No faltaba más; No hay de qué.*

In answer to requests: *Con mucho gusto; No faltaba más; No faltaría más; ¡Cómo no! (esp. Am. Sp.); De mil amores.*

In answer to invitation questions headed by *¿cómo?, ¿cuándo?*, or *¿dónde?*, it is customary to reply with *como/cuando/donde quiera(s).*

Invitations to the listener to go ahead with a matter he has expressed a wish to bring up or appears to want to discuss are indicated by the expressions *Tú dirás* and *Usted dirá.* In English: *Well? I'm listening; Go ahead; Fire away; It's up to you; Whatever you say,* etc.

—Discúlpenos... Queríamos preguntarle algunas cosas...
—Usted dirá.
—¿Es realmente tan grave esa enfermedad? (A. B. V.)

—Ven a sentarte.
—Como gustes... Tú dirás...
—Supongo que ya te habrá dicho tu mamá...
—Sí, todo absolutamente. (C. Gorostiza, *Mex.*)

AFFIRMATIVE RESPONSES AND REINFORCEMENTS

2.8 Such responses indicate agreement, confirmation, and acceptance, or may be added as reinforcements of an affirmative response. The following English samples illustrate how wide the range is:

Yes.	*Sure.*	*You're telling me!*
Of course.	*Certainly.*	*Not half!*
Naturally.	*Exactly.*	*You bet!*
By all means.	*(All) Right.*	*I'll say!*
Rather.	*That's right.*	*You said it!*
Quite.	*OK.*	*You can say that again!*
Quite so.	*Very well.*	*That's for sure!*
That's it.	*Fair enough.*	*Does he ever!*
My word!	*Fine.*	*Yeah/Yep.*

Sí.	*Con mucho gusto.*
Claro.	*Ya lo creo.*
Claro que sí.	*¡Cómo no! (esp. Am. Sp.).*
Y claro. (Arg.)	*¡Por Dios!*
Naturalmente.	*¡No faltaba más!* } (See also 2.7, 2.14 and 2.29.)
Desde luego	*¡No faltaría más!* }
Desde ya. (Arg.)	*Sin duda (alguna).*
Por supuesto.	*¿Qué duda cabe?*
Lógico.	*No cabe duda.*
En efecto.	
Efectivamente.	
Bueno.	
(Está) Bien.	
De acuerdo.	
Conforme.	

Examples:

—Pues ya somos amigos, ¿no es así?
—Cómo no, pues, señor... (A. Blest Gana, *Chile*)

—Yo misma reconozco que el encuentro me dejó un poco atontada, lógico, después de tanto tiempo. (M. D.)

—Es preciso que usted y yo seamos buenos amigos... ¿Quieres que nos hablemos de tú?
—Bueno. (M. M.)

—¿Quieres que te lleve al cine?
—¡Ya lo creo!

—¿Me darás algo, entonces, ¿verdad, abuela?
—¡No faltaba más! (J. A. de Z.)

—Y usted, pronto se irá también, según nos dijo.
—En efecto. Dentro de una semana. (M. M.)

—No, por favor, yo no sirvo como ejemplo. Hablemos de usted, mejor.
—Está bien, acepto. (R. M. Cossa, *Arg.*)

2.10 More informal or emotional:

Ya (ya).	With *decir:*
¡A ver!	*¡Y que lo digas!*
¡Eso!	*¡Y que lo diga usted!*
¡Eso sí!	*¡Di (tú) que sí!*
¡Y tanto!	*¡Diga usted que sí!*
Vale (Spain).	*¿A mí me lo vas a decir?*
(Así) Como lo/me oyes.	*¡Me lo vas a decir a mí!*

(Así) Como lo oye (usted).
Y a mucha honra.
(Yes, and proud of it!)

¡Ni que decir tiene!
With *saber:*
¡Si lo sabré yo!
¡Si lo sabría él! (in reported speech or thought.)
¡No voy a saberlo!
¡No lo sabes bien!
¡No lo sabe usted bien!

Ahí está. *Ahí está la madre del cordero.* *Ahí está el busilis.* *Ahí le duele.*	*That's it.* *That's the trouble.*

Examples:

—Muy aprovechado me pareces tú a mí.
—A ver.
—Y encima lo dice. Qué fresco. (F. Umbral)

—Cada uno es como es.
—Eso sí, desde luego. (A. B. V.)

—Vendré a buscarte sobre las cinco.
—Vale.

—¿Sabes que no te admiten?
—Ya. (Seco, 350)

—Pues es un guapo mozo... Y muy rico.
—Ahí le duele. No hace absolutamente nada de provecho. (A. M. de Lera)

—... anoche, cuando estábamos cenando, el oficialito Manríquez le dio un beso a Candelaria.
—¡Hombre!, ¿de veras?
—Como usted lo oye. (A. Blest Gana, *Chile*)

—¿Cómo se ha pasado usted la vida? Vendiendo burros y caballos; después, conspirando y armando barricadas...
—¡Y a mucha honra, a mucha honra! (B. P. G.)

—Es lamentable ser analfabeto...
—Si lo sabré yo. (C. Rengifo, *Venez.*)

—¡Ay, Braulio, qué acierto fue casarnos!
—Y que lo digas. (Mercedes Salisachs)

—Una noche así lo compensa todo.
—Di que sí. (A Gala)

***2.11** In addition to the ritual responses described above, there is a small number of ritual formulae indicating emphatic agreement and involving a repetition of part of the sentence which elicits the agreement.

***2.11.1** *Claro que*
Y tanto que
Y tan (followed by a repeated adjective or adverb)

Examples:

—¿Crees que me debo quitar el impermeable? Vengo un poco mojado.
—Claro que te lo debes quitar. (M. M.)

—¿Es posible?
—Y tan posible.

—Segurito que van a la catástrofe.
—Y tan seguro. (J. A. de Z.)

—Bueno, ya veremos.
—¡Y tanto que lo veremos! (J. López Rubio)

***2.11.2** *Que si*
Vaya que si
Anda que si

Examples:

—Es valiente.
—¿Que si lo es? No lo sabe usted bien. (Beinhauer, 168)

—Yo tenía trece años..., pero ya has oído eso.
—Vaya si lo he oído. (J. Cortázar, *Arg.*)

—Es admirable.
—Anda que si es admirable.

*NOTE

Si may occasionally be followed by the future or conditional of other verbs besides *saber* (see 2.10: *¡Si lo sabré yo!; ¡Si lo sabría él!*):

—La Ana Portela. ¿Te acuerdas? Hablamos una vez de ella.
Si la conocería Lucho. Temblaba. (E. Barrios, *Chile*)

NEGATIVE RESPONSES AND REINFORCEMENTS

2.12 English samples:

No.	*Not likely.*	*Go on with you!*
Not at all.	*Nothing doing.*	*Get away with you!*
Of course not.	*No fear!*	*That's what you think!*

Heaven forbid!
Anything but!
Far from it!
Not by a long way.
Not by a long chalk.
Not a chance/hope.
Huh!
Nonsense!
Rubbish!
My foot!
Come off it!
You must be joking!
Tell it to the marines!

2.13 Basic Spanish responses:

No.
Claro que no.
En absoluto.
Eso sí que no.
De ninguna manera.
De ningún modo.

Examples:

—El aire del mar, las distracciones de la ciudad le harán mucho bien...
—No, eso sí que no. A éste no me lo llevas ni por pocas semanas. (E. Barrios, *Chile*)

—¿Quiere pedir a todos los vecinos... que perdonen a doña Balbina?
—¡De ninguna manera! (A. B. V.)

***2.14** More informal or emotional:

Nada.
Nada de eso.
De eso, nada.
Ni mucho menos.
¡Ca!
¡Quia!/¡Quiá!
¡Narices!
¡Ni hablar!
¡Ni pensarlo!
¡Ni soñarlo!
¡Qué va!
¡Dios me libre!
¡(Vamos) Anda/Ande (ya)! (see 2.25).
¡No faltaba más! (see also 2.7, 2.9 and 2.29).
¡Quita (allá/de allí)!
¡Quite usted (allá/de allí)!
¡Vaya usted a hacer gárgaras!
¡Que te crees tú eso!
No crea(s).
¡Eso se lo contarás a tu abuela!
¡A otro perro con ese hueso!
¡Está(s) listo!
¡Estaría bueno! } (see 3.13).

Examples:

—Pero considere usted...
—¡Nada, nada! Si insiste usted, se lo diré a la señora Marquesa. (Ramsey, 212)

—¿Se queja de que lo hago trabajar mucho?
—No. Nada de eso. (S. Vodanovič, *Chile*)

—¿Y qué estudia? ¿Idiomas?
—No. De eso, nada. (M. M.)

—¿Usted no va a la fiesta esta noche...?
—¿Yo? ¿A ese precio? ¡Quite usted! Ni siquiera tengo ropa para eso. (J. López Rubio)

—¿Qué se creía usted? ¿Que yo era un analfabeto?
—No, no, Dios me libre. ¡Yo no creía nada! (C. J. C.)

—¿Pero no se cansa usted de hablar?
—¡Ca!, al revés, me encuentro mucho mejor. (Seco, 196)

—Aguarda un poco y te acompaño.
—Ni hablar. (L. Olmo)

—¿Tú crees que hará lo que dice?
—¡Qué va! (J. Marsé)

—Ya le conocéis... Tiene sus manías. Es de otra generación.
—¡Que te crees tú eso! ¿Cuántos años piensas que tiene Emilio? (J. G. H.)

—Tú vives bien.
—No creas, regular nada más. (J. L. C.-P.)

—Siéntese, si me hace el favor.
—Después de usted.
—No faltaba más.
—Entonces permaneceré en pie. (M. Aub)

*NOTE

The ritual formula *¡Qué más quisiera (yo, él,* etc.)!, meaning *I wish I could* (etc.) also implies a negative response *(I'm afraid not):*

—¿Qué?, señor Paco, ¿satisfecho?
—Qué más quisiera yo, chaval. (L. Olmo)

*2.15 Formulae:

*2.15.1 *¡Qué ... ni (qué) ...!*

In this vehement negative formula the first blank is filled by a repetition of a word from a preceding sentence (i. e. the word or idea that is being rejected) and the second blank is filled either by a further repetition of the same word, by a patently absurd word (e. g. *niño muerto*), a euphemism, or an expletive. Possible English translations include: ..., *my foot!; To hell with...; ..., be damned!*

—¡Al casino! ¡Al casino!
—¡Qué casino ni qué casino! (Beinhauer, 179)

—Es que no quiero molestarlo.
—Qué molestarlo ni qué molestarlo. (G. García Márquez, *Colom.*)

—Va contra el reglamento.
—¡Qué reglamento ni reglamento! (C. Muñiz)

—¡Repórtate, Ginesa!... ¡Demuestra a todos que eres una señora!
—¡Qué señora ni qué niño muerto! —rugía la Ginesa. (C. J. C.)

—... ¿Para qué le sirve la inteligencia?
—¡Qué inteligencia ni qué demontre! Lo cierto —y usted no lo creerá— es que soy un desgraciado. (J. Rubén Romero, *Mex.*)

—Todos sois muy buenos.
—¡Qué buenos ni qué... peinetas! (A. B. V.)
Good, my ... foot!

***2.15.2** The very productive patterns consisting of an interrogative word followed by a form of the verbs *ir a* or *haber de* are dealt with in detail in 3.19, but since they are often equivalent to a strong negative response, they may be briefly considered here also:

—¿Lo tiene él?
—¡Qué va a tener(lo)!
«Has he got it?»
«Of course not!/Of course he hasn't (got it)!»

—Ahora lo sabe.
—¡Qué ha de saber, mujer!
—Si lo estoy diciendo. (S. Eichelbaum, *Arg.*)

*NOTE

Other formulae are:

De + rejected word or words + *nada,* and *nada de* + rejected word or words:

—Chica, pareces tonta.
—De tonta, nada, monada. (F. Umbral)

***2.15.3** There remains a special formula by which a hesitant negative response may be conveyed. This formula consists of *tanto como* followed by a repetition of the part of the preceding sentence that is to be mildly or hesitantly rejected, or by the pronoun *eso* representing that part. The sentence may end in this vague way or it may be 'completed' by a negative form like *no* or a negative verb (particularly *decir*). (Cf. English *Well, not exactly/really; Well, I didn't exactly...; Well, I wouldn't say that, exactly.*)

—Tú no has cambiado nada.
—¡Hombre! Tanto como nada...
—Pero no mucho.
—Tú sí que estás idéntico... (A. de Laiglesia)

—No tienen por qué preocuparse. Es usted un hombre feliz.
—¡Tanto como eso...!
—¡Ah! ¿No es usted un hombre feliz...? (J. López Rubio)

—¿Y qué me va a hacer? ¿Va a matarme?
—¡Tanto como matarla, yo no diría! (J. F. S.)

RESPONSES INDICATING INDIFFERENCE AND RESIGNATION

2.16 English samples:

I don't care.
Who cares?
What does it matter?
It's no skin off my nose.
So what?
He's made his bed, now let him lie on it.
Too bad (for him, etc.)
That's his affair/bad luck/funeral.
Hard luck.
Bad luck (mate).

2.17 Verbal responses:

¿Qué (me) importa?
(Me) Da igual.
(Me) Da lo mismo.
Lo mismo (me) da.
¿Qué más da?
¿Qué (se) le va(mos) a hacer?
Es igual.
¡Que se fastidie!
¡Con su pan se lo coma!
¡Ahí me las den todas!
¡Allá se las haya/componga!
¡Tal día hará en un año!
Lo que es por mí...

Examples:

—Pero si lo matan...
—Qué le vamos a hacer. De algo tenemos que morir todos.
(E. Caballero Calderón, *Colom.*)

—Hoy, ¿qué día es?... ¿Qué día? Lunes, martes, ¿cuál?
—Lo mismo da. (L. Spota, *Mex.*)

—Pero si ella prefirió la muerte que [=*a*] su enorme tórax y su pelo rojo, con su pan se lo comiera. (M. D.)

—Si no tienes cuidado, pronto te liquidan..., te evaporan, te volatilizan, te sorben. Allá se las haya. Yo he cumplido..., he cargado mi cruz treinta años; ahora que la lleve otro. (B. P. G.)

—Pues desde ahora te digo que el nuevo Presupuesto es peor que el vigente... Ahí me las den todas. Yo, en mi casa, tan tranquilo, viendo cómo se desmorona este país. (B. P. G.)

***2.18** Verbless responses:

Por mí...	*Allá él/el portero* (etc.).
A mí, plin.	*Peor para él* (etc.).
Por mí, plin.	*Y (a mí/eso) ¿qué?*
	¡De tal día en un año!

Examples:

—¿La gente no dirá que estás loca?
—Peor para ellos. (Silvina Ocampo, *Arg.*)

—¿Se van?
—Alicia no está bien. Por mí, ya sabes. (R. M. Cossa, *Arg.*)

—La chica no puede ir al baile.
—Y ¿qué?

—Ya me haré rico alguna vez, si puedo, y si no, pues, mire..., ¡de tal día en un año! (C. J. C.)

***2.19** There also exist two formulae for showing indifference (usually polite) after a request or a question. Frequently these follow and expand on other expressions of indifference. The formulae are introduced by *como si* and *igual que si* and are followed by verbs in the indicative. Suitable English translation patterns would be: *(Or) You can... if you like; I don't mind if you...*

—Puedes quedarte mañana en casa... Igual que si no quieres venir hasta el lunes. (Moliner)

—¿Importa si no llegamos hasta las siete?
—Como si queréis venir a las ocho. (overheard in Madrid)

—Un domingo se lo digo a mi madre, y hasta el martes no vuelvo. ¿Eh, don José?
—¡Lo que es por mí! ¡Como si no quieres volver en un mes! (J. F. S.)

2.20 RITUAL EQUIVALENTS OF «NO LO SÉ»

¡Qué sé yo! *¡(Y) Yo qué sé!* *¡Cualquiera (lo) sabe!* *¡Vete (tú) a saber(lo)!* *¡Váyase usted a saber(lo)!*	*How do I know?* *How would/should I know?* *Who knows?* *Search me.*

Examples:

—¿Cómo es posible que trabajase de lavaplatos en un cabaret?
—¡Y yo qué sé! (M M.)

—Y vete a saber dónde irían a parar estas joyas. (J. A. de Z.)
Who knows where these jewels may have ended up.

—¿Cuándo te casas?
—Cualquiera sabe. (J. F. S.)

OTHER RITUALIZED EXCLAMATIONS

2.21 In colloquial language, ritualized exclamatory sentences (including those already described in this chapter) are not only frequent and extremely varied but also, for the foreign learner of the language, difficult to understand accurately, partly because of their peculiar structure and semantic content, partly because they need to be heard in context and with appropriate intonation, and also partly because they do not necessarily have a single obvious equivalent in the learner's native language. For these reasons, and also because such exclamations cover a wide range of emotional reactions, it is virtually impossible to submit them to a rigorous classification, and perhaps the alphabetical listing in a dictionary is the only proper treatment for them. However, some ritualized exclamations are so common or so varied in use (or both) that the student must be given some guidance on how to interpret them, especially if, left to his/her own resources, he/she is not to fall into the trap of translating them literally. Consequently, the following attempt at a basic learning and reference classification has been undertaken with the aim of grouping the most common ritualized exclamations, mainly according to the feeling or attitude expressed, and the situations in which they are used, but also according to their form, where this seemed to be of particular use.

Although translation suggestions are offered, the reader must remember that, with these idiosyncratic sentence types, context (in the widest sense) and intonation, which cannot be adequately rendered in a work of this sort, may be of vital importance for the correct interpretation of the exclamations. In spite of these practical obstacles, it is hoped that what follows in sections 2.22-2.30 will at least provide a short cut to a basic understanding (and to better translation) of a large number of relatively common ritualized exclamations. (As with preceding ritual sentences, the exclamations may occur alone as separate sentences or as parenthetical additions to other sentences.)

2.22 Forms of address

In addition to the use of names and titles (e. g. *Juan, María, señor*) as calls and forms of address, frequent use is made in colloquial Spanish of the terms *hombre, mujer, hijo-a (mío/mía), chico-a,* and *chiquillo-a.* Of these forms the following observations may be made:

a) *hijo* and *hija* are by no means limited to their literal (family relationship) meaning;

b) the terms do not usually translate literally into English;

c) the terms may be used alone as exclamatory sentences, or as adjuncts, to express surprise (pleasant and unpleasant), indignation, remonstration, emphasis, or hesitation. In the latter two functions they are similar to the sentence adjuncts described in sections 1.7-1.11;

d) the most frequent and versatile of the series is *hombre*, which may be used in addressing females as well as males.

—¿Me puedes ayudar?
—Sí, hombre/mujer/hijo/hija.
Yes, of course/Yes, dear.

—¡Hombre, un camarero! (Beinhauer, 31)
Well, well, a waiter!

—¿Con qué vas a mantener a tu mujer?
—¡Hombre..., algo gano pintando! (P. Baroja)
Well, I DO *earn a bit from painting!*

—¿Quién nos dice que no trae una bomba escondida?
—¡Mujer! (J. López Rubio)
Really!

—¿Qué te ha parecido?
—Hombre... —alcé los hombros—. Es una chica de ciudad. (J. G. H.)
Well..., she's a city girl...

—¿Te encuentras verdaderamente bien?
—Hombre..., bien... todo lo bien que yo puedo estar ya. (D. Sueiro)
Oh, as well as I can expect to be at my age.

NOTES

1. *Niño, niña, señor* and *señora* are also used to express or emphasize indignation o remonstration:

   —Pero, niño, ¿qué has hecho?
   What on earth have you done?

2. In familiar American Spanish, *mi* often precedes *hijo* and *hija:*

   —Sí, mi hijo.

2.23 ENDEARMENTS AND INSULTS

The wide range of these exclamatory calls and parentheses, varying not only from period to period but also according to region, social class, and style of speech, and including relevant taboo terms, can only be properly dealt with in the fullest type of dictionary. However, since endearments and insults, along with imperatives and *¡qué!/¡cuánto!/¡cómo!* exclamations, are among the most characteristic features of colloquial Spanish, they deserve at least token mention here. Some common general examples are:

a) *mi vida, amor (mío), tesoro, cariño, cielo, cielito (mío)* = *darling;*

b) *tonto, idiota, imbécil, sinvergüenza, animal, bestia.*

2.24 Basic interjections

The use of special words with no other function or lexical meaning apart from the expression of basic emotional responses and indications to the listener is an obvious characteristic of colloquial language. Below are offered some of these basic interjections. Possible translations in terms of English interjections are also offered after some of the terms, but it should be noted that such translations will only be appropriate in some contexts and that other English exclamatory forms (e. g. *Oh dear!, Gosh!, Good heavens!, Good Lord!, Come on!*) may be needed in other contexts.

> ¡ah! (*oh!*), ¡ajá! (*aha!*), ¡ay! (*oh!/ouch!*), ¡bah! (*huh!*), ¡caramba! (*wow!*), ¡caray! (*jeez!*), ¡chist! (*sh!*), ¡ea!, ¡hala!/¡ala!, ¡hale!/¡ale!, ¡huy!/¡uy! (*huh!/oh!*), ¡oh!, ¡pchs!/¡psch(e)!/¡pse! (*huh!/bah!*), ¡uf! (*phew!*).

—¡Ay, Julio, ay, ay! ¡Ay, qué daño me haces! (Sara Suárez Solís, 151)

—¡Ay, mi mamita! ¡Ay, qué le habrá pasado! ¡Ay, Dios mío!
(Sara Suárez Solís, 151)

—¿El hijo de Edmundo Budiño, el del diario?
—Sí, señora, el del diario y de la fábrica.
—Caramba... Entonces usted es todo un personaje. (M. Benedetti, *Urug.*)
My, my! Then you're really important!

—No sé, dicen que han matado a puñaladas a dos señoras ya mayores.
—¡Caray! (Sara Suárez Solís, 153)

—¿Qué quieres, que cojamos las maletas y nos vayamos ahora mismo? Pues hale, hale, por mí estoy dispuesto. (R. Rodríguez Buded)
Right, come on then, I'm ready.

—Usted me entiende...
—¡Huy, hija! ¡De sobra! (J. López Rubio)
Oh, only too well!

—¿Te ha gustado mucho el concierto?
—¡Pchs! Regular, nada más. (Beinhauer, 80)

Note

Also typical of colloquial Spanish is the use of certain interjections (usually within narrative sequences) to express or refer to a sudden action or noise or to an emotional effect produced suddenly on the speaker (cf. *bang!*, *click!*, *crash!*, *pow!*, *smash!*, etc.). Among those used are: *¡cataplum!*, *¡catapún!*, *¡paf!*, *¡pum!*, and *¡zas!*:

—Estábamos escuchando la radio y, ¡zas!, se cortó la corriente. (Moliner)
We were listening to the radio when, click!, off went the power.

—... y ahora, cuando menos lo esperaba, ¡zas!, la hija de un peón caminero me saca de mis casillas. (Beinhauer, 297)
... and now, when I'm least expecting it, bang!, the daughter of a roadman drives me crazy.

2.25 COMMON VERBAL EXCLAMATIONS

Because of their frequency and their multiple non-literal meanings, it is convenient to list under this heading a small number of verbal forms which act as ritualized exclamations.

2.25.1 *¡Anda!* *¡Ándale!* *¡Ándele!* *(Mex.)*

These forms may express:

a) surprise or alarm (*¡andá!* or *¡andáaa!* for extreme surprise):

—¡Dijo que te conocía!
—¡Anda!
Well, well!

—Ha llegado tu marido.
—¡Anda!
Good heavens!

b) encouragement, impatience, or a request (in which case the form *¡ande!* is also used):

—Anda, vete a casa. ¿Por qué diablos te complicas la vida así? (J. Marsé)

—¿Podemos hablar?
—Sí, sí, claro. Y ande, que nos tiene nerviosos. (J. Calvo Sotelo)

—¡Ándale! Ya va siendo hora de que te levantes. (J. Rulfo, *Mex.*)
Come on! It's about time you were getting up.

c) scornful or emphatic rejection (in which case *ya* may follow and *vamos* may precede — see 2.25.3, note 1):

—Me da un poco de miedo.
—¿De mí?
—Anda ya, tonto. De esto. (A. Gala)

Note

For other uses of *anda*, see 2.11.2 and 3.12.

2.25.2 *¡Vaya!*

This exclamation usually expresses combinations of surprise, regret, and impatience *(Well!; Well, well!; There now!; Oh dear!; Damn!)*. It may also be used as an absent-minded expression of relief, as a mechanical reply *(Well, well!)*, or as a vague answer to a question *(So so)*.

—¡Vaya! Se me han roto las gafas. (Moliner)

—La revolución es... Vaya: es algo que no puede explicarse, que hay que sentir. (L. Spota, *Mex.*)

—Hemos llegado.
Suspiró Alba:
—Vaya. Menos mal. Gracias a Dios. (A. Marquerie)

—¿Qué tal tu mujer?
—¡Vaya! (J. F. S.)

Notes

1. *¡Vaya por Dios!* also expresses annoyance, surprise, or regret:

   —Don José María está enfermo.
   —Vaya por Dios. Supongo que no tendrá nada grave. (J. G. H.)

2. For other uses of *vaya* as the nucleus of a colloquial sentence pattern, see 2.11.2, 3.2.3, and 3.6.1.

2.25.3 *¡Vamos!*

¡Vamos! is widely used to express encouragement, impatience, entreaty, rejection, remonstration, indignation, reproach, or mockery *(Come on!, Come come!, Steady on!, Hey!, Well!, Huh!)*.

—¡Vamos, que cierro! ¡Salgan de una vez! (A. B. V.)

—Vamos, Segundo, serénate, cálmate. (Beinhauer, 63)

—¡Vamos, es el colmo! (Beinhauer, 61)
Well! That's really too much!

—¡Ahora subirá mi Juan a ver si salen o no salen ustedes!...
—¡Su Juan! ¡Vamos! (A. B. V.)
Her Juan! Huh!

Notes

1. In its remonstrative and dismissive uses *(huh!)*, *¡vamos!* may be followed by *anda* and, in popular speech, it may be abbreviated to *amos:*

   —¿No quieres que te ayude siquiera, mujer?
   —¿Ayudarme? Vamos, anda. Si tú no tienes idea de lo que es trabajar. (A. M. de Lera)

   —¿Por qué no haces tú también oposiciones?
   —Eso. Y a mantenerte a ti, ¿verdad, rico? Amos, anda. (J. M. Rodríguez Méndez)
   Sure, and support you, eh? Come off it!

2. For the derived use of *vamos* as a colloquial adjunct, see 1.14.2 and 4.25.2.

2.25.4 *¡Venga!*

This invariable verbal exclamation is used to express encouragement or impatience of an imperative sort, and may convey an indication for someone to hand over or talk about something which has just been referred to *(Come on!, Come on then!, Out with it!, Let's have it!)*.

—¡Venga, Juan! Vamos a llegar tarde.
Come on.../Hurry up!...

—Pues ni una palabra más.
—Sí, una palabra más.
—Venga. (Beinhauer, 54)

—¿Quiere usted un pitillo?
—Bueno, venga. Gracias. (Beinhauer, 54)

Notes

1. As an extension of this use, the form *venga* and the noun denoting the object required may be run together to form an imperative sentence *(Give me...)*:

   —Venga la cesta —pidió—. Iré yo. (Josefina Rodríguez)

   —Venga esa chaqueta. (A. Gala)

   Occasionally the plural form *vengan* is used with or in reference to a plural noun:

   —Vengan esos cinco. (Beinhauer, 295)
   Let me shake your hand/Put it there.

   —¿Me das tres duros?
   —No tengo más que dos, amor mío.
   —Vengan... (C. J. C.)

   (For a different use of *vengan* + plural noun, see 4.12, note 1.)

2. For *venga (a/de)* + infinitive, see 4.12.

2.25.5 *¡Y dale!*
¡Dale que dale!
¡Dale que le/te pego!

These forms as pure exclamations indicate exasperation, impatience, or boredom provoked by something just mentioned or, less frequently, just done. *(There he goes again!, Just listen to him!, You're always going on about that!, On and on!)*

—Vienes cuando quieras y por el tiempo que quieras, pero me devuelves los libros.
—¡Y dale! Siempre tengo que ser yo. Los puede haber cogido tu hijo...
(A. B. V.)

There you go again! You're always accusing me. Your son could have taken them.

La costumbre de la siesta eterna, la costumbre de llevarse la vida durmiendo. Dale que te dale, durmiendo por la mañana, por la tarde y por la noche.
(A. Grosso)

On and on! Sleeping in the morning, in the afternoon and at night.

NOTE

For the use of *dale que dale* as a verbal stereotype, see 4.11; for *dale con,* see 3.6.1.

2.25.6 Other verbal exclamations are:

¡Oye!/¡Oiga(n)!	Used literally as a call *(Listen!, Excuse me)* but also as a rebuke *(Hey!, Watch it!, Careful!).*
¡Atiza! *¡Toma!* (often pronounced as *To má*).	To indicate surprise.

Examples:

—¡Oye, Pepe: espera un poco! (Moliner)

—Oye, ¿qué manera de hablar es esa? (Moliner)

—Antes que nada, ¿podría saber por qué he sido llamado?
—¡Toma!... Para que nos des tu opinión. (J. M. Gironella)

2.26 RITUALIZED IMPERATIVES

2.26.1 A number of nouns and adverbs or adverbial expressions may be used without verbal accompaniment with imperative intention and force. Some common examples:

¡Silencio!	*Quiet!*
¡Cuidado! *¡Ojo!*	*Careful!*
¡Ánimo!	*Cheer up!*
¡Adelante!	*Come in!/Begin!/Off you go!*
¡Fuera! *¡Largo de aquí!*	*Get out!*
¡No! ¡Que por ahí no!	*No, not that way!*

NOTE

Also *más* + noun:

—Oiga, oiga, más respeto. (Rodríguez Buded)
Hey! Don't be impertinent!

2.26.2 Equally ritual and deriving from the patterned use of *a* + infinitive described in 4.8.2 is the use of *A ver,* either alone or followed by a noun or noun phrase, as a general or specific invitation to action (usually speaking, showing, or giving). According to context, one of the following should prove a suitable translation: *Well? Tell me; Let me see (it); Quick, get...; Give me...*

—¡A ver! ¡A ver, niñita! ¿Qué vamos a estudiar hoy?
—No sé, profesor. (Elena Garro, *Mex.*)

—A ver, la cafeína, y avisen al médico en seguida. (J. A. de Z.)
Quick, the caffeine, and send for a doctor immediately.

—A ver ese dibujo. (T. Luca de Tena)

NOTE

For *A ver* as an affirmative response, see 2.10; for *A ver si,* see 4.15.

2.27 EXCLAMATIONS INVOKING THE DEITY

Exclamations invoking God, Jesus, and the Virgin Mary commonly express surprise, shock, lament, and entreaty. Common examples are:

¡Por Dios! ¡Dios mío! ¡Válgame Dios! ¡Bendito sea Dios! ¡Señor! ¡Jesús!

Suitable English translations: *For goodness' sake! Please! My goodness! Good heavens!,* etc.

—Me voy a ir en seguida.
—Pero, por Dios, Maribel, si es tempranísimo. (M. M.)
But, for goodness' sake, Maribel, it's still very early!

—¿Pero qué he hecho yo, Dios mío, qué he hecho yo? (J. A. de Z.)

—Ustedes los sacerdotes tienen ahora demasiada manga ancha.
—¡Válgame Dios, qué cosas tiene uno que oír! (J. M. Rodríguez Méndez)

—Nunca hubiera creído que me gustara tanto. ¡Jesús, qué tonta soy!
(J. M. Gironella)

NOTE

See also 2.25.2, note 1 *(Vaya por Dios)*.

2.28 SURPRISE

The numerous other ritualized exclamations indicating surprise of varying degrees may be divided, for demonstration purposes, into two groups, according to their form: verbal and verbless. Common samples of each class are given below. English samples for comparison: *Well!*, *Good heavens!*, *Gosh!*, *Fancy that!*, *Just imagine!*

2.28.1

¡Fíjate!/¡Fíjese!
¡Figúrate!/¡Figúrese¡
¡Mira por dónde!
¡Mire usted por dónde!
¡Hay que ver!
¡No veas!
¡Para que veas!
¡Lo que son las cosas!
¡Las cosas como son!
¡Ahí va!
¡Ahí es nada!

Examples:

—Estos periodistas no pierden ocasión.
—¿Es periodista? ¡Mire usted por dónde! Me alegro de haberle sonreído.
(S. and J. Álvarez Quintero)

—Se lo conté a la chavala y, lo que son las cosas, [*dice*] que peor es lo suyo.
(M. M.)
I told my old woman and, would you believe it, she says her trouble is worse.

—... que me cogió de sorpresa, y luego lo sentí, las cosas como son. (M. D.)

—¡Hay que ver! ¡Han falsificado hasta el sello de los Ayuntamientos!
(J. M. Gironella)

—¡Vaya jaleíto, no veas! (overheard in Madrid).
You've no idea what a row there was!

—Ahí va, buena la he hecho. (Beinhauer, 88)

—Quiero dos artículos semanales.
—¡Ahí es nada! ¿Y de qué puedo yo hablar en un periódico? (M. Aub)

NOTES

1. For *Mira/Mire que*, *Hay que ver*, and *No veas* as integral parts of longer sentences, see 3.7.
2. *Ahí va* is also used as a warning *(Look out!)*.

2.28.2

¡Mi madre!
¡Madre mía!
¡Qué bárbaro!
¡Qué barbaridad!

—¿Cuánto te ha costado ese traje?
—Tres mil pesetas.
—¡Mi madre! (Beinhauer, 90)

2.29 ANNOYANCE

Shades of annoyance are many but the samples of ritual expressions included here express mainly indignation, rejection, and remonstration, and correspond to English exclamations like the following:

Huh!
Well!
Well, I like that!
How do you like that!
The nerve!
The cheek!
The (very) idea!
Not likely!
I should think not!
Now look here!
But listen!
Hey! Just a minute!
That's done it!
That's all we needed!

As can be seen in these samples, there is an overlap at times with negative responses and the use of ironic devices. These are considered separately in sections 2.12-2.15 and 3.10-3.13.

Spanish samples:

¡Bueno!
¡Pero, bueno!
¡Estaría bueno!
¡Pues estaríamos buenos!
¡Pues estamos bien!
¡Ya está!
¡Pues la hemos hecho buena!
¡Buena la hemos hecho!
¡Pues la hemos liado!
¡Pues sí!
¡Hasta ahí podíamos llegar!
¡Hasta ahí podríamos llegar!
¡Habráse visto!
¡Habrá cosa igual!
¡No te digo!
¡No me digas!
¿Qué se han/habrán creído?
¿Qué te has/habrás creído?
¡No faltaba/faltaría más!
¡Lo que nos faltaba!
¡Lo que faltaba para el duro!
¡Éramos pocos y parió la abuela/la burra!

Examples:

—... Y decidí consagrar mi vida al estudio del mundo mágico de las células grises.
—Pero, bueno: ¿a mí qué me importa todo eso? (A. de Laiglesia)
Just a moment! What's all that got to do with me?

—¡Bueno! ¡No me faltaba más que eso! (Moliner)

—Tantos suspiros doy cada minuto por usted, por ti...
—Estáte quieto. Yo puedo oírte hablar porque me gusta y es bonito, pero nada más, ¿lo oyes? ¡Estaría bueno! (F. García Lorca)

—No es un loro. Es una cotorra. Se llama Susana.
—¡Susana! ¡No te digo! (M. M.)

—Y bailan y bailan, a ver cuál resiste más, sin descansar sino tres minutos cada cuarto de hora. Bailadores de profesión.
—¡Habráse visto! ¡Miren qué oficio! (E. Barrios, *Chile*)

De la parte baja de la casa subió un fuerte y agrio olor a frituras y a repollo.
—Lo que faltaba —exclamó Constancia—. Encima de las cucarachas, este olor asqueroso... (G. Casaccia, *Paraguay*)

—¡Mi amigo... no bebe sin un vaso! ¡Qué se han creído! (E. Lafourcade, *Chile*)

—¡Pues la hemos liado! Esos desalmados son capaces de desvalijarnos. (C. J. C.)
That's torn it! These swine are quite capable of robbing us.

NOTES

1. *Pero, bueno* may also indicate surprise without annoyance:

   —Estaba ahí sentado cuando me dije: «Pero, bueno, si es el comandante Moscoso.» (T. Luca de Tena)
   ... Why, if it isn't Major Moscoso!

2. *Ya está* is also used as an exclamation of triumph or joy meaning *I've got it!*, *That's it!*, *It's finished!*, etc.

2.30 CURSES AND THANKSGIVING

2.30.1 Leaving aside the question of taboo terms, which the reader will pursue or ignore, as he wishes, there are other common curses, of mild to moderate force, which equate roughly with English *Damn (him/it)!*; *Blast (him/it)!*, or their equivalents. Examples:

¡Maldito sea!
¡Maldito sea + noun!
¡Que le/lo parta un rayo!
¡Mal rayo le/lo parta!
¡La madre que le parió! [*vulgar*] = *Bloody hell!/You bastard!*

Example:

—Son los sobrinos y las sobrinas del señor.
—¡Mal rayo los parta!... No los quiero ver. (M. Aub)

2.30.2 Among the rare ritual exclamations indicating pleasure, joy, or thanksgiving are the following three which express feelings diametrically opposed to those conveyed by the exclamations listed in the preceding section:

Menos mal.	*Thank goodness!/That's a relief!*
¡Dichosos los ojos (que te ven)! *¡Benditos los ojos que te ven!*	*How nice to see you!*

Example:

—Hola, Rómulo.
—Hola, Martín, ¡dichosos los ojos! (C. J. C.)

NOTE

Colloquial expression of pleasure or appreciation seems mainly to be covered by *patterns* involving the use of *¡qué!/¡cuánto/¡cómo!* exclamations and their equivalents. These patterns are described in sections 3.1 to 3.4.

*2.31 PROVERBS

Other ready-made sentences are proverbs and sayings, many of which survive from generation to generation as ritualized comments for particular situations. With most Spanish proverbs and sayings, the ritual element is a purely semantic and cultural one since the sentence structure is more or less standard (with the exception of a few minor peculiarities of form surviving from earlier stages of the language). However, of special interest and relevance to this chapter are those proverbs and sayings which display non-standard sentence structure. Although in such cases one may suspect the ellipsis of a particular verb, these sentences, like the others listed in this chapter, are best accepted for what they are: ritual semantic and syntactical units.

For comparison, examples of proverbs and sayings of both standard and non-standard sentence structure follow. (Where translations are offered in parentheses, they indicate a general gloss of the comment contained in the Spanish version.)

a)

A quien madruga, Dios ayuda.
God helps those who help themselves.

Cuando el río suena, agua lleva.
There's no smoke without fire.

Obras son amores, que no buenas razones.
Actions speak louder than words.

Aunque (la mona) se vista de seda, mona se queda.
The leopard cannot change his spots.

No es oro todo lo que reluce.
All that glitters is not gold.

Más vale ser cabeza de ratón que cola de león.
It's better to reign in Hell than serve in Heaven.

Al cabo de cien años, todos (seremos) calvos.
(It won't matter at all in the long run).

De noche, todos los gatos son pardos.
(Darkness hides a lot of faults).

b)

A lo hecho, pecho.
What's done cannot be undone.

Hecha la ley, hecha la trampa.
(Every law has a loophole).

De tal palo, tal astilla.
A chip off the old block/Like father like son.

Al buen entendedor, pocas palabras.
A word to the wise is sufficient.

A buena(s) hora(s), mangas verdes.
(To be too late).

A palabras necias, oídos sordos.
(One should not pay any attention to stupid remarks).

A enemigo que huye, puente de plata.
(One should make it easy for an opponent to back off).

A la vejez, viruelas.
(A comment on something considered inappropriate or unexpected).

El amor y la muerte, a traición.
Love and death take one by surprise.

Al pan, pan, y al vino, vino.
To call a spade a spade.

Through constant use, proverbs and sayings may become so familiar that they can be further abbreviated without loss of their encapsulated meaning, providing, of course, that the listener (or reader) possesses the necessary shared cultural background (cf. *Too many cooks...*; *A rolling stone...*; *People who live in glass houses...*):

(El) Gato escaldado...	[*del agua fría huye*].
Once bitten...	[*twice shy*].
El ojo del amo...	[*engorda el caballo*].
While the cat's away...	[*the mice will play*].
A palabras necias...	[*oídos sordos*].
A enemigo que huye...	[*puente de plata*].
A buena(s) hora(s)...	[*mangas verdes*].

SUPPLEMENTARY EXAMPLES FOR STUDY AND TRANSLATION

A

1. N: —Pues mucho gusto en haberle conocido.
   M: —Lo mismo digo.
   P: —Encantada de saludarle.
   M: —Es usted muy amable.
   R: —Pues hasta otro día.
   M: —Muy agradecido por todo, señoritas. (M. M.)

2. —Te voy a presentar a mi tía Paula, la hermana de mi madre.
   —¡Encantada! ¡Encantada! ¡Pero qué mona! ¡Pero si es una chica preciosa! Muchísimo gusto en conocerla, hija mía...
   —Lo mismo le digo. (M. M.)

3. —¡Ven!... Acércate un poco, hombre, haz el favor, que no me como a nadie. (Carmen Martín Gaite)

4. M: —¿Es esa tu copa, querido? Puedes beber en confianza.
   P: —No, no es mi copa.
   J: —Es la mía. ¿Me permite?
   M: —¡Hombre, no faltaba más!
   (José se levanta, va al armario de los licores y toma la copa que se había servido. Vuelve con ella. La alza.)
   J: —¡Salud!
   M: —Que le aproveche. (R. Marqués, *P. Rico*)

5. —Bueno, Ignacio, me voy. Hasta mañana.
   —¡Hasta mañana! Y muchas gracias.
   —De nada. (J. M. Gironella)

6. —Que descanse.
—Igualmente; hasta mañana, si Dios quiere. (A. Berlanga)

7. —Don Saturnino acaba de nombrarme dependiente de los Almacenes...
—¡Enhorabuena, chico; esto hay que celebrarlo! (M. D.)

8. —Tú, vete tranquilo. No te preocupes.
—Pues hasta luego.
—Que te diviertas. (A. Sastre)

9. —Gracias, Paco. Gracias por todo.
—No hay de qué, hombre. (A. Sastre)

10. —¿Cuándo quieres irte?
—Cuando quieras.

11. —Yo he venido a pedirte un favor... Es decir, si puedes; que si no, no hay que hablar.
—Usted dirá...
—Pues..., es decir, si puedes... Yo necesito una cantidad. (B. P. G.)

12. —Dora, hazme el favor de traerme mis cigarros...
—Con mucho gusto. (Luisa J. Hernández, *Mex.*)

13. —... y como supongo que tú querrás que tengamos hijos...
—¡Pues no faltaba más! (M. de Unamuno)

14. —Respecto a esto, ¿os sentís ligados los estudiantes a la vida social y política de nuestro país?
—Pues sí, en efecto. (M. Gorosch, 1973, 53)

15. —¿Usted me autoriza para que les haga un regalo a sus criados, que me están sirviendo a maravilla?
—¡Pues no faltaba más! ¡Ya lo creo! (F. González Ollé, 20)

16. —¿Puedo esperarle aquí?
—Bueno. (A. Sastre)

17. —Eso es ya una cuestión particular.
—¡Y tan particular! (J. López Rubio)

18. —No se olvide.
—De ningún modo. (C. Gorostiza, *Mex.*)

19. —Dime la verdad. ¿Es cierto?
—¡De ninguna manera! ¡Te lo juro, hermano! (C. Gorostiza, *Mex.*)

20. —No tuve más remedio que reírme, porque perder mi soledad de la noche..., ¡eso sí que no! (E. Barrios, *Chile*)

21. —No nos ha invitado.
—¡Qué le vamos a hacer!

22. —Juan no puede venir a la fiesta.
—¿Qué más da?

23. —¿Cuándo se fueron?
—Cualquiera lo sabe.

24. —Vete tú a saber lo que ha habido entre ellos. (J. A. de Z.)

25. —¿Y qué hago yo con esto?
—¿Yo qué sé? ¡Tírelo, si no le gusta! (C. J. C.)

26. —Yo te la arreglaré.
—¡Hombre, magnífico! (A. B. V.)

27. —Aquí son todos muy ignorantes...
—Hombre, habrá de todo.
—No, señor. (C. J. C.)

28. —... ¿tú crees que ella me querrá?
—Hombre, ya te lo he dicho. (J. L. C.-P.)

29. —¿Vas a venir?
—Sí, hija.

30. —Yo la llamaba siempre señora marquesa.
—¡Huy, señora marquesa! Como los criados. (J. Benavente)

31. —¡Huy, cómo suda este chico! (J. M. Rodríguez Méndez)

32. —¡Caramba! —exclamó, sorprendido, el señor obispo—. ¿Pertenece usted... a la Obra de Dios?
—Exactamente. (J. M. Gironella)

33. —¿Qué te ha pasado, caramba?
—Nada, nada de importancia. (J. Calvo Sotelo)

34. —Ha muerto súbitamente.
—¡Anda!

35. —¿Pero tú no tienes miedo?
—¡Anda, miedo! (Beinhauer, 59)

36. —Anda, vamos a buscarlos.

37. —Tengo un compromiso con mi amigo para esta noche.
—¡Vaya! ¡Cuánto lo siento! (E. Barrios, *Chile*)

38. —¿Se ha descansado?
—¡Vaya! ¿Y usted? (C. J. C.)

39. —... hasta ahora no me había dado cuenta de que fueses tan guapa como eres...
—Vamos, vamos, señorito, no se burle. (M. de Unamuno)

40. —¡Venga, hombre! Date prisa.

41. —No me llevas nunca a ningún sitio.
—¡Y dale!

42. —¡Oye! No me gusta tanto ruido.

43. —Ya tenemos las listas completas.
—A ver, a ver. Me gustaría ver los nombres. (C. Gorostiza, *Mex.*)

44. —¡Dios mío! ¡Qué feliz soy! ¡Pero qué feliz! (V. R. I.)

45. —... yo no quisiera interrumpirles.
—Por Dios... Maribel es ya como si fuera de la familia. (M. M.)

46. No se gana discutiendo. De veras. ¡Hay que ver! ¡Con este calor! (C. Gorostiza, *Arg.*)

47. —¿Qué hora es?
—Las nueve.
—¡Madre mía, las nueve! (R. Rodríguez Buded)

48. —La cocinera se ha comprado una casita en la Sierra...
—¡Ahí va! (J. López Rubio)

49. —Pero, bueno, ¿oye o no oye? (A. B. V.)

50. —¡A mí no me chilles! ¿Entiendes? ¡A mí no me chillas tú! ¡Hasta ahí podíamos llegar! (A. Sastre)

51. —¡No me querían dejar pasar! ¡Habráse visto! (M. Aub)

B

Exercise 1. Sections 2.0-2.20

1. —En fin, lo que sea sonará. Adiós, Benítez.
—Encantado de verle, y enhorabuena por anticipado.
—Siento mucho no saludar a su esposa. Muchas cosas de mi parte. (J. Calvo Sotelo)

2. —Mucho gusto en conocerle, señor Gobernador.
—Igualmente, camarada Lago. (J. M. Gironella)

3. Ignacio, me ha rejuvenecido verte...
—Lo mismo digo. (J. M. Gironella)

4. —¡Aló! ¡Aló! *(Pausa.)* No, señor, no es la central. Se ha equivocado de número. *(Pausa.)* No hay de qué. (R. Marqués, *P. Rico.*)

5. Valentina también se alzó despacio y con indecisión, a la vez que decía en voz baja, como para sí:
—Mis ahorros de toda la vida —dirigiéndose al doctor Gamarra con humildad—: Me hace el favor de llamar un auto. (G. Casaccia, *Paraguay*)

6. —Es que... el profesor habla con mucha propiedad: a la española, claro.
—¡Ah! Bueno, ¿decimos salud, mi profe?
—A la salud de ustedes. (L. G. Basurto, *Mex.*)

7. —Usted ha de estar rendido, doctor Quiroga; pero ¿me permite que abuse un poco más de su hospitalidad?
—¡Por Dios! ¡No faltaba más! Lo que usted quiera. (E. Anderson Imbert, *Arg.*)

8. —El tío Ponce, que está dando las boqueadas..., y no hay que pensar en teatro. ¡No faltaba más! (B. P. G.)

9. —¿No dice que el hombre perdió hace mucho tiempo el sentido ése?
—En efecto. Pero en mis estudios descubrí el modo de hacerlo resucitar. (A. de Laiglesia.)

10. —He oído decir que piensa radicar aquí.
—Sí, efectivamente. (A. González Caballero, *Mex.*)

11. El Gobernador asintió a la tesis de su entrañable amigo y camarada:
—En efecto, tienes razón. (J. M. Gironella)

12. —... vente a casa y nos damos una ducha y nos acostamos.
—Vale. (Carmen Martín Gaite)

13. —¿Os gustan las chicas guapas con la nariz bien chata?
—¡Sí, sí! ¡Eso, eso! (Keniston, 77)

14. —Un gran chico este Juanito, ¿sabes?
—¿A mí me lo vas a decir? (A. B. V.)

15. —Eso es lo que da fama, eso. ¡Y no estudiar musiquillas horas y horas como tú! ¡A ver! (A. Zamora Vicente)

16. —¡Qué señor más simpático!
—No lo sabes bien. (J. Benavente)

17. —Este es un país de pícaros y de frailes, si lo sabré yo. (J. A. de Z.)

18. —La vida hay que ventilársela bien.
—Y que lo digas. (A. M. de Lera)

19. —¿Qué me importa a mí?
—¡Vaya si importa! (R. Arlt, *Arg.*)

20. —Ha hecho usted bien.
—Y tan bien. (C. J. C.)

21. —¿Se acuerda usted?
—¡Y tanto que me acuerdo! (C. J. C.)

22. —Tienes razón.
—¡Que si la tengo! (J. L. C.-P.)

23. —... ¿estás segura...?
—¡Vaya que si estoy segura! —se indignó ella. (J. Goytortúa, *Mex.*)

24. —Anda, tráemela.
—No te la daré.
—Vaya si me la entregarás. (J. L. C.-P.)

25. —Prefiero ir sola —confesé con aspereza.
—No, eso sí que no, niña... Hoy te acompaño yo a tu casa. (Carmen Laforet)

26. —Me vais a aceptar estas veinticinco pesetas para la niña.
—Ni hablar. (R. Rodríguez Buded)

27. —Cuidado con apropiarse de lo ajeno, ¿eh?
—¡Ni pensarlo!... El señor obispo me enviaría a misiones. (J. M. Gironella)

28. —¿No permitirán todavía tocar sardanas?
—¡Qué pregunta! Ni soñarlo... (J. M. Gironella)

29. —Será el hijo de doña Milagros.
—Quite usted, si está haciendo el bachillerato. (R. Rodríguez Buded)

30. —La culpa es de él. La mima demasiado.
—No creas, mi hija. La mima a ratos, pero también la pega. (J. L. C.-P.)

31. —Ya veo que estás ocupado...
—Nada de eso, ahora mismo nos vamos. (L. Martín-Santos)

32. —... ustedes ¿qué quieren?, vamos a ver.
—Control estudiantil...
—Nada de control: Universidad del pueblo, donde las autoridades gubernativas no sean las académicas. (A. Berlanga)

33. —En este retrato tiene cuando menos seis años.
—¡Qué va! Cuando mucho tiene dos años. (J. Ibargüengoitia, *Mex.*)

34. —Pero ustedes no son de la policía, ni mucho menos.
—¿No?
—Ca, hombre. Si yo le conozco a usted. (P. Baroja)

35. Pero no se limitó a eso. ¡Quiá! Le dijo que quería explicárselo a fondo personalmente. (A. B. V.)

36. —... Vamos, así como si no existiese de verdad.
—Eso te creerás tú, chiquilla. Pero yo te digo que tu tío existe, ¡vaya si existe! (M. de Unamuno)

37. —¿No podrías hacer un esfuerzo?
—¡Qué más quisiera yo! Me da tristeza de no poder socorrer a usted. (B. P. G.)

38. —Es una trampa.
—Qué trampa ni qué macana. (J. Cortázar, *Arg.*)

39. —La cultura...
—¡Qué cultura ni qué ocho narices! ... ¿Para qué vamos a seguir hablando? (M. Aub)

40. —¿Y está contento? Quiero decir ¿contento consigo mismo?
—Bah, tanto como contento. Llega un momento en que hay que decidirse: o se sigue fiel a los principios o se gana plata. (M. Benedetti, *Urug.*)

41. —¿Usted cree que la cara es el espejo del alma?
—Hombre, tanto como el espejo del alma, de lo que se dice el alma mismamente..., no sé. Pero de los sentimientos, sí, ¡ya lo creo! (C. J. C.)

42. —¿No vino más que dos veces?
—Mujer, aquí, a esta casa, nada más; pero a la suya, vete a saber... En fin, allá ellos. (J. F. S.)

43. —Nuestro ingeniero jefe acaba de ser asesinado.
—¿Y eso, qué? Usted es ahora el jefe. (J. M. Arguedas, *Peru*)

44. —Si a usted no le importase, profesor...
—No, no..., qué me va a importar. Desde luego debe poner su nombre. Pues no faltaba más... Como si quiere usted poner también las señas de su casa. (M. M.)

45. —¿Por qué?...
—¿Por qué? Qué sé yo —respondió Zabala con tono displicente, alzándose de hombros. (G. Casaccia, *Paraguay*)

EXERCISE 2. SECTIONS 2.21-2.31

1. —¿Y el portero nos creerá?
—Hombre, supongo que sí. (J. Calvo Sotelo)

2. —¡Qué rabia!
—Rabia ¿por qué?
—Hombre, ¿le parece a usted agradable? (A. Marquerie)

3. —Precisamente vengo a decirte que bajes a oír el partido si quieres; que yo puedo estudiar en otro lado.
—Hombre. Es el primer detalle que te veo en mucho tiempo. Está bien. (A. B. V.)

4. —¡Pero, mujer! ¿Tú crees que éstos son modales para tratar a los forasteros? (C. J. C.)

5. —¿Crees, como yo, que España va a ser ahora mejor?
—Chico —contestó, al cabo—, ya sabes que las profecías no se me dan bien. (J. M. Gironella)

6. —Amalia se casará y...
—¡Huy, huy, huy!... Sí, claro, se casará. Pero tal vez con Juan no. (J. Calvo Sotelo)

7. —El día que seas el primero de la clase, te daré un duro.
—¡Huy, el primero! Eso es muy difícil, abuelito.
—Bueno, pues el segundo. (C. J. C.)

8. —¿Mi Josefa? Nada, no sabe nada.
—Pues, hala, a casa, a casa a decírselo. (R. Doménech)

9. —Hale, me llevo a la niña a tomar un poco el aire, mientras preparas la cena. (R. Rodríguez Buded)

10. —¡Es que hay gente sin conciencia, hija!
—¡Psche! ¿Qué más da? (Sara Suárez Solís, 161)

11. Llama a Miguel..., le da mil pesetas.
—Ea, Miguel, serénese; gracias a Dios, no hay víctimas... (A. Palomino)

12. —Supongo que ya estará [*lista*] la inyección. Quieto, te la pongo aquí mismo... Quítate la chaqueta, anda. (J. Calvo Sotelo)

13. —Este es el Rey. Va a echar el discurso.
—Anda ya, si no tiene corona. (A. Gala)

14. —Y vuelven a tocar sardanas. ¡Por cierto que José Luis bailaba una, en la Rambla.
—¡Anda, vamos! —cortó María Victoria—. Hasta ahí podíamos llegar. (J. M. Gironella)

15. —Vaya, ya te has emborrachado. ¡Pero si has bebido menos que nadie! (A. Sastre)

16. Todo es el fruto de un despojo, de un fraude inaudito, de un robo, vaya, ¿a qué andar evitando esa palabra? (J. Calvo Sotelo)

17. —El año pasado un señor me estuvo pellizcando en las pantorrillas toda la misa.
—¡Vaya por Dios! (A. Gala)

18. —¡Venga, mujer! Si no salimos ahora perderemos el avión.

19. —¿Me quiere decir dónde hay más libertad que aquí? A ver, a ver, un solo sitio, no le pido más. (M. Benedetti, *Urug.*)

20. —¿De orden de quién se atreven ustedes a atacar mi casa?
—De orden de mi jefe —contestó el cabo con altanería.
—A ver la orden. (A. Blest Gana, *Chile*)

21. —¿Qué va a ser de nosotros, Dios mío? ¿Y de esta niña? ¡Ay, Paca! ¿Qué va a ser de mi Carmina? (A. B. V.)

22. —He subido para hacerles a ustedes compañía. Y hasta me he traído esta laborcita. Supongo que no les molesta.
—Por Dios, señora, nos encanta. (M. M.)

23. —Bendito sea Dios.
No es una jaculatoria. Es un suspiro, un lamento, un acto de sumisión, más a la Fatalidad, al Sino, que a Dios. (A. Palomino)

24. —¡Hay que ver! ¡Parece mentira! ¡Mira que enfriarse en agosto, en Sevilla, con el calor que dicen que hace ahí! (M. M.)

25. —Las cosas como son, y es que la señora... resulta un poco demasiado joven para él. (J. A. de Z.)

26. —Soy amigo del director, un hombre de mucho talento. Director de película, ahí es nada. Nada más verme, me ha dado un papel. (R. Rodríguez Buded)

27. —¿Nunca te has puesto a pensar, Lorencito, hijo, en lo que te hubiera gustado ser?
—No.
—Pero, bueno, ¿tú qué es lo que quieres?
—Que me dejéis en paz. (J. A. de Z.)

28. —Claro, el solomillo de la perra cuesta ciento ochenta y cinco pesetas y las albóndigas del señor de la casa, ochenta. ¡Hasta ahí podíamos llegar! (J. A. de Z.)

29. —¡Le sobran a usted grasas!
—¡La madre que le parió! (L. Olmo)

30. —¡Dichosos los ojos, Maravillas! ¡Tres días sin verte! (L. Olmo)

31. Al atropello, con el atropello. Esa es la ley de esta tierra. (R. Gallegos, *Venez.*)

32. —No sé lo que pienso hacer. Yo lo que te digo es que "año nuevo, vida nueva".

33. Cada oveja con su pareja.

34. Perro ladrador, nunca buen mordedor.

35. A grandes males, grandes remedios.

36. No hay mal que por bien no venga.

37. Más vale lo malo conocido que lo bueno por conocer.

38. No se ganó Zamora en una hora.

39. A falta de pan, buenas son tortas.

40. Más sabe el diablo por viejo que por diablo.

41. Más vale pájaro en mano que ciento volando.

42. Más vale tarde que nunca.

3

EMOTIONAL COMMENT SENTENCE PATTERNS

3.0 Colloquial Spanish possesses a number of non-standard sentence *patterns* which may be used for the spontaneous and concise expression of the following types of emotional comment: surprise, admiration, pleasure, scorn, sarcasm, regret, indignation, impatience, strong affirmation or denial, rebuke, resignation, and wishes. One of the identifying characteristics of such patterns is a syntactical or semantic component which, unlike the adjuncts described in Chapter 1, is an integral part of the sentence. A further relevant feature of sentences made up from these patterns is that, although they are not usually analysable in terms of standard syntax (i. e. into main clause and subordinate clause, etc.) or in terms of standard (i.e. literal) semantics, they are clearly equivalent in meaning to longer or more 'literal' standard sentences, for which they may be considered colloquial replacements.

Because of their structure or because they have a non-literal meaning (see, for example, 3.10-3.13), these emotional comment patterns, like all ritual elements of colloquial Spanish, offer particular comprehension and translation difficulties for non-native students of the language, who are accustomed to the familiar structures of standard sentences and to the more or less literal interpretation of sentence components. However, since these sentences are constructed from productive patterns, a familiarity with their characteristic form and functions is desirable and should be achieved more quickly and more permanently by systematic study than by recourse to the dictionary alone.

Given the wide range of functions covered and the peculiar syntactical or semantic characteristics of these emotional comment sentence patterns, they have been grouped partly according to form and partly according to content under the following headings:

¡Qué!/¡Cuánto!/Cómo! exclamations and equivalents: 3.1-3.4.
Patterns with other initial exclamatory components: 3.5-3.8.
Regret and surprise: 3.9.
Irony: 3.10-3.13.
Indignation: 3.14-3.18.
Rejection, rebuke, and protest: 3.19-3.20.
Resignation: 3.21.
Wishes, regret, and rebuke: 3.22-3.23.

¡QUÉ!/¡CUÁNTO!/¡CÓMO! EXCLAMATIONS AND EQUIVALENTS

3.1 The basic patterns for general emotional exclamations covering a wide range of feelings are as follows:

3.1.1 For the exclamatory equivalent of *muy* + adjective or adverb (English *What a...!; How...!*):

¡Qué mujer!
¡Qué mujer más/tan guapa!
¡Qué bonito!
¡Qué bonito es ese vestido!
¡Qué tonto eres!
¡Qué bien trabaja!
¡Cómo vuela el tiempo!

In addition to the common patterns listed above, there exists a verbless pattern consisting of *qué* + noun or noun phrase followed by either a demonstrative or a possessive component. To translate this pattern into English, it will usually be necessary to use an exclamatory sentence which includes a verb:

—¡Qué linda aquella flor! (M. Cecchini, 130)
Isn't that a pretty flower!/How pretty that flower is!

—¡Qué desgracia la que me ha caído! (G. Casaccia, *Paraguay*)
What a terrible blow I've received!

—¡Qué amigos los tuyos, tío Pepablo! (Keniston, 80)
You've got some fine friends, Pepablo!

3.1.2 For the exclamatory equivalent of *mucho* + noun or verb or of *muchos, -as:*

¡Cuánta gente hay aquí!
¡Qué miedo me da!
¡Cuántos vinieron!
¡Cuánto tiempo sin verte!
¡Cuánto sabe (este chico)!
¡Cuánto trabajan!

***3.2** The following minor variations occur:

***3.2.1** *Qué* omitted:

—¡Cosa más dulce! (Keniston, 145)

***3.2.2** Additional *que:*

—¡Qué palidez que tiene! (R. Arlt, *Arg.*)

—¡Qué bien que se está aquí! (Seco, 284)

*NOTE

This variant is possibly more familiar or more frequent in American Spanish. A similar pattern also occurs with ellipsis of *qué* and is labelled by M. Seco (1967, p. 284) as an *americanismo:*

—Flojita que te estás volviendo. (Seco, 284)

—Imbécil que soy. (J. Goytisolo)

***3.2.3** *Qué* replaced:

a) by *vaya (un):*

—¡Vaya coche (que tiene)!

—¡Vaya (una) pregunta!

—¿Luis? Vaya un nombre más raro. (M. D.)

b) by *cómo ... de* in the pattern *¡cómo* + verb + *de* + adjective:

—¡Cómo se puso de contento cuando lo vio! (overheard in Madrid)

***3.2.4** Alternative pattern: *qué* + noun + *de* + noun:

—¡Qué lástima de hombre! (Keniston, 43)
That poor man!

—¡Qué asco de casa!
What a disgusting house!

*NOTES

1. For the use of *bonito, lindo, menudo* and *valiente* as replacements for *qué,* see 3.13.
2. For other variations in the intensifying elements *muy, tan* and *mucho,* see 5.5-5.15.

3.3 Major variant patterns:

3.3.1 Equivalent to *¡qué!* = *muy* patterns is the occasional use of *lo* + adjective or adverb followed by *que* + verb:

—¡Lo fuertes que eran! (E. Alarcos Llorach, 178)
How strong they were!

—¡Lo indignado que se pone! (R. S. F.)

—¡Lo bien que me viene! (E. Alarcos Llorach, 190)
How well that suits me!

3.3.2 Equivalent to the *¡cuánto!* and *¡qué!* patterns which imply *mucho* or *muy* + adjective is the pattern: definite article + noun + relative clause:

—¡El miedo que está pasando! (Seco, 142)
How frightened he is!

—El disgusto que se va a llevar Ismael cuando lo sepa. (J. A. de Z.)
How upset Ismael is going to be when he finds out!

—¡El plomo que aquel hombre llevaba en el cuerpo! (Keniston, 130)
What a lot of bullets that man had in his body!/The lead that man had in him!

NOTE

The variants *la de* + noun + relative clause and *¡qué de!* + noun involve the ellipsis of a noun like *cantidad*. (Cf. *What a lot of...!*, *The (number of)...!*):

—¡La de veces que me ha pedido diez duros para comer! (F. Díaz-Plaja)
The (number of) times he's asked me for fifty pesetas to buy food!

—¡La de trabajos que he tenido que hacer para pagarte el seminario! (A. Gala)
The jobs I've had to do to pay for you to go the seminary!

—¡Qué de trabajo! (Moliner)

—¡Qué de gente hay aquí! (Moliner)

3.3.3 Alternative to the basic patterns *¡cómo!* or *¡cuánto!* + verb is the exclamatory pattern *lo que* + verb:

—¡Lo que vale la influencia política! (Ramsey, 124)
Political influence is so useful!

—Un día hasta me pegó. ¡Lo que lloré! (Keniston, 88)
One day he even hit me. How I cried!

—¡Chiquillo, lo que nos vamos a reír! (Seco, 217)
Hey, we're going to have a really good laugh!

3.4 The three patterns described in 3.3, although found alone, are more frequently used in reported exclamatory comments, especially as object clauses of verbs of perception and saying, or after verbs governing a prepositional object. (See also 5.14 and 5.15.)

—Ya ves lo formalitos y obedientes que han estado todo el día. (R. S. F.)
You can see how well behaved and obedient they've been all day.

—Abra los ojos y mire bien lo fea y vieja que soy. (Keniston, 92)

—Ya lo decía yo, en cuanto vi lo limpios que tenía los vidrios de las ventanas: usted es un caballero. (E. Wolff, *Chile*)

—Al verte me acordé de lo compenetrados que estuvimos entonces. (A. B. V.)

—Si te dieras cuenta de lo equivocado que estás. (J. M. Gironella)

—Ya me han contado lo bien que lo pasasteis. (Moliner)

—Se lamenta de lo mal que andan las cosas en nuestro país. (Keniston, 88)

—Figúrate lo lejos que vivimos. (Seco, 217)

—Lo dices como si te molestara lo viento en popa que van. (J. A. de Z.)
You say it as though you were annoyed because they're doing so well.

—¡No te puedes imaginar la bronca que ha habido en casa! (L. Olmo)
You have no idea what a row there's been at home!

—No sabes lo que me satisface poderte dar esa alegría. (J. A. de Z.)

* PATTERNS WITH OTHER INITIAL EXCLAMATORY COMPONENTS

***3.5** The emotional use of certain exclamatory words (most of them described in Chapter 2) as integral parts of colloquial sentence patterns rather than as separate sentences or parenthetical additions produces a number of characteristic syntactical and semantic patterns for which the ritual content of the exclamatory element rather than a literal interpretation provides the clue to an adequate translation into English. Three types of these exclamatory patterns are described below in sections 3.6-3.8.

*NOTE

To avoid excessive fragmentation of material, a few exclamatory *formulae* for the expression of affirmative, negative, and indifferent responses have already been described in Chapter 2 (sections 2.11, 2.15 and 2.19).

***3.6** A number of exclamatory words listed in Chapter 2 may combine with *con* and nouns, noun phrases, or infinitives to form exclamatory sentences.

***3.6.1**

¡Vaya con!	*¡Cuidado con!*
¡Caramba con!	*¡(Y) Dale con!*
¡Caray con!	

All of these may be followed by a noun or noun phrase to indicate degrees of annoyance, surprise (usually unpleasant), or sarcasm caused by the mentioned noun. In English, translation will vary according to context, but general equivalents are: *What a...!*, *Some...!*, *Damn the...!*, *Just look at the...!*

With *(Y) Dale con,* which is usually used to express exasperation caused by something just mentioned, the effect is similar to English *There he goes again (with...)!* or *Damn the...!*

> —Aunque puedan parecerte lobos, la mayoría de esas gentes son corderos.
> —¡Vaya con los corderos! —rezongó. (Mercedes Salisachs)
> *«Some sheep!», he muttered.*
>
> —¡Vaya con el indio suertudo! Ahora iba a ver. (C. Alegría, *Peru*)
> *That damn Indian! He'd show him!*
>
> —Resultó ser el asesino de la chica... y Carlos lo ha matado.
> —Caray con el mocito. (A. B. V.)
> *Well, would you believe it!*
>
> —¡Cuidado con las veces que se lo he dicho! (Beinhauer, 195)
> *How many times I've told him!/The times I've told him!*
>
> —Por eso dije a Vuestra Excelencia que con su poder...
> —¡Dale con el poder, señor Mandeville! (J. Mármol, *Arg.*)
>
> —... Del mismo modo prefiero no comprender tus rollos más que a medias.
> —¡Y dale con el rollo! (J. Marsé)
> *There you go again, calling my speeches boring!*

***3.6.2** *Cuidado con* and *Ojo con* may be used to form two different patterns with imperative force. When followed by a noun or noun phrase, they have a positive imperative meaning *(Careful with...!)*; when followed by an infinitive, they indicate a negative imperative *(Mind you don't...)*.

> —¡Niño! ¡Cuidado con las tijeras!
>
> —... Ojo con ese perro, porque puede hacernos más daño que todos los hombres juntos. (H. Quiroga, *Urug.*)
>
> —Ya estás afeitado a la federala; sólo te falta el bigote. Cuidado con olvidarlo. (E. Echeverría, *Arg.*)
> *Now you look just like one of the Federales. The only thing that's missing is the moustache. Mind you don't forget it!*

***3.7** Certain (mainly verbal) exclamations may be used in initial position to add emotional intensity to a sentence of which they form an integral syntactical part.

***3.7.1** Exclamatory *Mira, Mire usted,* and *Cuidado* may be grafted on to a standard sentence type or to an exclamatory pattern by the addition of the link *que,* for various purposes of emotional emphasis, normally rendered in English by means of voice stress, exclamatory sentences, the use of the emphatic word *really*, or by standard sentence types beginning with *Remember* or *Believe me*, etc. (With the less frequent *Cuidado que* pattern, the equivalence with *qué* and other exclamation types is particularly noticeable.)

—Mira que, también, os metéis en unos líos. (D. Sueiro)
You really DO *get yourselves into some fine messes, don't you?*

—No me juzgue mal, Blanco. Esperemos un tiempo. Mire que lo que usted piense de mí me importa mucho. (E. Barrios, *Chile*)
Believe me, what you think of me REALLY *matters to me.*

—Vamos, niña, estáte quieta. Mira que le cuento todo a la tía. (B. P. G.)
Oh, behave yourself, girl, or I'll tell auntie about you.

—Mira que se lo he dicho veces.
The times I've told him!

—Mira que si me mato [*en el avión*], usted sale perdiendo. (M. V. L.)

—Mira que andar ahorrando para esto.
Fancy saving up all this time just for this!

—Cuidado que sois gansos. (R. S. F.)
You really are funny/What clowns you are!

—... pero no daba una perra a nadie, y eso que tenía millones...
—Cuidado que era roñosa —observó Miguel (A. M. de Lera)
«*... But she wouldn't give a cent to anyone, and yet she was loaded.*»
«*She wasn't half stingy/mean/tight!*», *remarked Miguel.*

—¡Qué tío más raro! Cuidado que hace cosas difíciles con la cara. (R. S. F.)
What a strange man! The faces he pulls!

—¡Cuidado que pasarse un hombre seis lustros sin acordarse de más mujer que la suya!... ¡Qué cosas! (B. P. G.)
Fancy a man going for thirty years without so much as a look at any other woman (than his wife)! Incredible!

The reinforcement of both these patterns by a preceding *y* (see 1.3) most commonly seems to express a regret provoked by something in the context and to imply a need for an intensifier in the English version *(and ... so...; but ... so...)*. (Although not deriving from any exclamation, the contrastive connector *y eso que* described in section 5.25.1 also indicates regret).

—¡Y mira que me levanté temprano!
And I got up so early!

Se encontraban en la situación del matrimonio que no tiene ya nada que decirse... Y ella pensaba: «Y cuidado que le quiero y me ha hecho y soy feliz con él.» (J. A. de Z.)
... «*And yet I love him so much and he has made me so happy.*»

—A ver quién puede poner junto al mío un nombre de hombre. Y cuidado que este pueblo vive de calumnias. (A. Gala)
I defy anyone to name a man I'm supposed to have been with, even though this town thrives so much on gossip.

***3.7.2** Other exclamations which can occur as integral parts of colloquial sentence patterns are *hay que ver* and *no veas* (see 2.28.1). Their use seems to be restricted to the further intensification of sentences of an exclamatory nature. (All examples collected are from Spain.)

—Hay que ver las enemistades que te has ganado por eso. (M. D.)
It's incredible how many enemies you've made because of that.

—Hay que ver qué gente tan amable, y qué cocina tan limpia. (M. M.)
You have to admit they're really nice people, and the kitchen's so clean.

—... la propina ha sido que mi padre no veas cómo se ha puesto al saber que yo tengo ese libro. (A. Zamora Vicente)
... and to make matters worse, you should have seen how angry my father got when he found out that I've got that book.

—No veas en la de sitios que ha estado ya, con veinticinco años que tiene... (Carmen Martín Gaite)
You've no idea the number of places he's been to already although he's only twenty-five.

***3.8** The emotional patterns consisting of *¡ay!* (or an adjective) + *de* + pronoun (or noun phrase) express a lament or a threat. Although often translated as *Alas!; Woe is me!*, and *Woe betide them!*, etc., in modern English a more convincing translation is usually obtained by using contemporary exclamations of sorrow, regret, or intimidation (e. g. *Oh dear! The poor...; My God!; God help...!; Heaven help...!*).

—¡Ay de mí! ¿Qué voy a hacer?
Oh dear, oh dear! What am I going to do?

—¡Ay de aquellos que lo hayan echado en olvido! (N. D. Arutiunova, 1966, 7)
God help those who have forgotten it!

—¡Miserable de mí, he aspirado a lo que me era tan superior! (N. D. Arutiunova, 1966, 7)
How stupid of me! I aspired to something quite beyond my reach.

—¡Desgraciado de ti si lo olvidas! (Moliner)

REGRET AND SURPRISE

3.9 For the simultaneous expression of surprise or regret and the reason inspiring this attitude, the following colloquial sentence patterns are found:

Con lo + adjective (or adverb) + *que* + verb: 3.9.1.
Con + definite article + noun + *que* + verb: 3.9.2.
Con la de + noun + *que* + verb: 3.9.2.
Con lo que + verb: 3.9.3.
Tan + adjective (or adverb) + *que* + verb *(esp. Am. Sp.)*: 3.9.4.

As can be seen, the patterns consist of the exclamatory structures described in 3.3, preceded by *con*, and of the mainly American Spanish pattern *tan ... que* (see also 5.15.3.). There is an element of intensification (i. e. *very/so*) implicit in such sentences, and in translation this will normally be explicitly expressed, e.g. *Con lo fácil que es, 'And yet it's so easy!'*

*NOTES

1. The above patterns with *con*, indicating a contrast between the sentiment and the sentence or thought provoking it, are related to the standard concessive function of *con (=although, in spite of)* shown in the following sentences:

   Con ser tan sencillas las reglas de la concordancia, nuestras gramáticas registran numerosas anomalías en la lengua hablada y literaria...
   (S. Gili Gaya, 1969, 27)

   —Lleva usted pocos minutos aquí y, con ser yo tan curiosa y tan preguntona, nada sé de usted y usted ya sabe mucho de mí. (S. Eichelbaum, *Arg.*)

   The concessive origin of this colloquial use of *con* is more clearly demonstrated when the thought provoking the *con* regret pattern follows it in the same sentence:

   —Con la de enfermos que hay en este pueblo..., abandonarlos así.
   (Mercedes Salisachs)

   —A Nicasio, el pobre, con lo simpático que ha sido siempre..., se le puso un carácter inaguantable. (R. Rodríguez Buded)

   In the following colloquial pattern, however, which includes the colloquial intensifier *todo* (see 4.25.3, note), there is no implied regret:

   —Con todo lo simpático que parece, no me gusta.
   He may seem very nice, but I don't like him.

2. Another major standard function of *con* is to introduce a reason (see also 5.15.2):

   —Con el día que hace, ni se podrá estar al aire libre. (J. G. H.)
   Because of this bad weather, we won't even be able to stay outside.

3.9.1

—Con lo creído que yo estaba en que había de sé [*ser*] ingeniero.
And I was so sure he was going to be an engineer! (M. Regula, 1862)

—Juan no quiere estudiar.
—¡Qué lástima! Con lo listo que es.

3.9.2

—Que no hay paseo mañana. Eso es lo que debe importarte.
—...Con las ganas que tenía de ir. (S. Vodanović, *Chile*)
And I was looking forward to going so much!

—Le gustaría ser diplomático y conocer así el mundo.
—¡Qué horror! Con la de diplomáticos que raptan en esta era de terrorismo político... —se lamentó Paulino. (J. A. de Z.)
Oh dear! When so many diplomats are being kidnapped in this age of political terrorism!

3.9.3

—Por lo único que siento no haberme casado, ha sido por no tener hijos... ¡Con lo que a mí me gustan los niños! (Mercedes Salisachs)
...I simply LOVE *children!*

—¡Con lo que a mí me hubiera gustado que escribieras libros de amor! (M. D)

*3.9.4

—¡Válgame Dios, y cómo se pierde una casa! ¡Tan bueno que era el tío Barret! ¡Si levantara la cabeza y viese a sus hijas! (V. Blasco Ibáñez)
My goodness! It doesn't take long for a family to go downhill, does it? And old Barret was such a good man too! Imagine how he would feel if he could see his daughters now!

—¿Cuándo se acabará la guerra, para irme? Tan bien que estaba yo antes. (A. Uslar Pietri, *Venez.*)

IRONY

3.10 Just as the literal analysis of the components of previously described ready-made sentences and emotional comment sentence patterns may fail to give the real meaning, so a literal semantic analysis of certain standard sentence types used with ironic intention will give the opposite meaning to that intended by the speaker and understood by native speakers of Spanish, given the right context and the right intonation.

The implicitly accepted convention on the part of both speaker and listener in the sentences that follow in sections 3.11-3.13 (usually spontaneous emotional expressions of surprise and indignation) is that what is intended is in some way the reverse of what is literally expressed, i. e. that a positive sentence is to be interpreted as a negative one, and vice-versa, and that expressions denoting qualities and quantity are to be interpreted as their opposite (e.g. good=bad; small=big, etc.). A few individual ironic sentences have already been listed in Chapter 2, because through frequent repetition they have become ritualized. Nevertheless, they are repeated here as further illustrations of the principles involved. In many cases an English ironic pattern may be used to translate the Spanish one.

3.11 Positive implies negative:

3.11.1 *(Pues) Sí que*

—¡Pues sí que nos hemos lucido!
We've really excelled ourselves this time! (=We've made a mess of things).

—... quiero hacerte un regalo.
—No seas tonto. ¡Pues sí que estás tú para regalos! (C. J. C.)
... You're in a fine position to give presents!

Frequently this construction combines with the ironic use of *bueno/bien* (=*malo/mal:* see 3.13):

—¡Sí que estamos buenos! (Moliner)
We're in a fine mess!

—Pues sí que lo tenéis bien educado al niño —se quejó la abuela.
You've really brought the child up well, haven't you? (J. A. de Z.)

3.11.2 In other ironic patterns an exclamatory positive sentence must be interpreted as indicating a negative meaning.

—Ahora me va a enseñar a mí cómo la tengo que educar. (R. S. F.)
He's not going to teach ME *how I should bring her up!*

—¡Hábleme usted de placeres intelectuales! (Spaulding, 63)
Don't you mention intellectual pleasures to ME!

—¡Me va a decir usted —tartamudeó el enfermo— lo que es América, cuando la he recorrido desde el estrecho de Bering hasta la Patagonia! (P. Baroja)

—¡Para canciones estoy yo! (Beinhauer, 19)
I'm not in the mood for songs!

3.12 Negative implies positive:

With this reverse procedure, or convention, the speaker is able to convey an emphatic positive comment by using a negative term, usually *no.* At times the *no* is accompanied by words and expressions like *poco* or *ni nada* (in popular Spanish: *ni na*), which are also to be interpreted as their opposites (i.e. *mucho,* etc.). (Cf. English *Why, if it isn't your mother!; Why, if he isn't smoking!,* etc.).

—¡Pues no estaban mirando por el ojo de la llave! ¡Brujas, sayonas!
They were actually peeping through the keyhole! (F. García Lorca)

—¡Madre mía! ¡Pues no está fumando! ¡Tira eso en seguida, cochino! (A. B. V.)

—Pues no has crecío [*crecido*] ni na. (Beinhauer, 193)
Haven't you grown a lot!/My, how you've grown!

In popular Spanish, the following exclamatory reinforcements are also used: *anda que; anda y que; anda y que tampoco.*

—Pues anda que no eres pesado.
You aren't half boring!

—Anda y que no da sorpresas la vida. (L. Olmo)

NOTE

The use of *no voy a* and *no he de* in sentences of this sort is presumably derived from the patterns consisting of interrogative word + *ir a* or *haber de* described in 3.19:

—No te preocupes... No es nada.
—¡No me voy a preocupar! Y si yo no me voy a preocupar, ¿te preocupas tú? (D. Sueiro)
Not worry! But if I don't, I suppose you will!

—Pero no te asombres tanto...
—¡No he de asombrarme! ¡Cómo, digo yo, has podido tú, un tímido, llegar a tanto con esa rapidez! (E. Barrios, *Chile*)

3.13 A similar ironic effect may be conveyed in emotional sentences which include adjectives of quality or size (e.g. *bonito, bueno, lindo, listo, menudo, valiente*), the adverb *bien*, the pronoun and intensifier *poco*, and the pronoun *cualquiera*. In translation, this effect is often obtained by the ironic use of words like *fine, great, very*, patterns like *He isn't half*..., or by a term opposite in literal meaning to the one expressed in Spanish.

—¡Estaría bueno!
The nerve!

—¡Buena la hemos hecho!
A fine mess we've made!

—Buena se va a poner madame Plussot cuando sepa que se han marchado sin pagar. (P. Baroja)
What a state Madame Plussot will be in when she finds out they've left without paying the bill.

—Estás listo si piensas eso.
You're stupid if you think that.

—¡Menuda ganga!
What a bargain! (Depending on context and tone of voice, this may indicate either praise or criticism.)

—Menudo chaparrón nos viene encima. (Keniston, 249)

—¡Menuda suerte tuvieron éstos!
—Sí, no fue poca. (C. J. C.)

—Lo que tiene usted que hacer... es aprender de mí.
—¡Bonito modelo! (B. P. G.)

—¡Lindo lío hiciste vos!, ¿eh? (C. Gorostiza, *Arg.*)

—... ¡se ha casado!
—¡Valiente carcamal se lleva la que haya cargado con él! (M. de Unamuno)
Whoever's picked him up has got herself a fine specimen!

—¡Poco orgulloso estaba yo de que fuera mi madre! (Keniston, 166)
I wasn't half proud she was my mother!

—¡Cualquiera se deja sacar los ojos! (R. S. F.)
Nobody would let them pull his eyes out.

NOTE

The use of *no voy a* and *no he de* in sentences of this sort is presumably tence formula *Ya está bien de* + infinitive *(That's enough -ing!/Stop -ing!)* are further examples of ironic colloquial structures:

—¡Eh, tú! Ya está bien de dormir. ¿Lo oyes? ¡Levántate ya! (A. Sastre)

INDIGNATION

3.14 The simplest colloquial sentence pattern indicating surprise or indignation is the one introduced by or consisting entirely of an infinitive. (English: *Fancy -ing!, The idea of -ing!*).

¡Maldito sea, llevarse así mi barca! (Ana María Matute)
Damn him! Fancy taking my boat!

—¡Salirme ahora con esas! Todas las embarazadas decís lo mismo. (Mercedes Salisachs)
Fancy bringing that up now! All you pregnant women say the same.

—¡Acusarme de que mire las piernas de su novia! (J. F. Dicenta Sánchez)

—Y... ¿quién es Alvarado?
—¡Qué cosa más rara! ¡No conocer a Alvarado! (A. Marqueríe)

The difference between this colloquial use of the infinitive and those described in 4.3.2 is that this one is emotional and does not depend on the *form* of a preceding sentence but on its content, or on extra-linguistic factors. The indignant use of the infinitive can be seen as the emotional reduction of a standard pattern where the infinitive is the subject of an expression of emotional judgment (e. g. *Es ridículo*):

Hablar así es estúpido.

Hacerse una casa en el campo y no dotarla de un paellero es algo incomprensible en un valenciano. (*Tele/Exprés*, 1-9-73)

Moreover, unlike the other types, this use of the infinitive may be further emphasized by the addition of *Mira/Mire que* or, less frequently, *Cuidado que* (see 3.7.1). With this reinforcement, the perfect infinitive (see 3.23.1) may also be used:

—Mira que legislar antes de haber desayunado. (A. Gala)

—Mira que no habernos enterado. (E. Lorenzo, 91)
Fancy us not finding out!/How stupid of us not to have found out!

***3.15** Another pattern for expressing indignation equivalent to English *Fancy ... (not) -ing!* or *To think that...!* consists of *(Y) Que (no)* followed by a subjunctive verb. In this case also one may assume the ellipsis of an expression of emotional judgment.

—¡Que se tengan que leer estas cosas! (overheard in Madrid)
Fancy having to read such things!

—Y que no tenga que comer un hombre que podría enseñar la Gramática a todo Madrid y corregir estos delitos del lenguaje. (B. P. G.)

*NOTES

1. In the following two examples given by Ramsey (pp. 445-446), initial *que* has been omitted, producing a pattern similar in form to that described in 3.23.1 and meaning *I wish* or *Why didn't...?:*

   —Buscaba gentes que lo hicieran por mí... ¡No las buscara hoy..., ya que he roto a hablar!

   —¡Allá van! ¡Allá van! No les llevaran los demonios.

2. For other uses of *que* followed by the subjunctive, see 4.36 and 4.37.

***3.16** Equivalent to the standard pattern *Y luego dicen que...* is the colloquial comment pattern *Para que (luego)* followed by the subjunctive. English translations: *And then they...!*, *That'll teach (us) to...!*, *That'll show (you) that...!*

—Y luego dicen que las mujeres tardamos en vestirnos. Yo estoy arreglada desde hace media hora. (C. de la Torre)

—Parece una mosca muerta, pero los engatusa que da gusto. Para que una se fíe de las pueblerinas. (Mercedes Salisachs)
She looks as though butter wouldn't melt in her mouth, but she really knows how to charm them. You've got to keep an eye on these village girls.

—¿No lo dije? ¡Éxito total! Y yo solo, ¡solo! Para que luego digan de la iniciativa privada. (A. Casona)
That'll teach them to criticize private enterprise.

—Para que luego digan que los hombres de iglesia son agradecidos.
(Keniston, 163)

—¿Es posible?
—Para que veas que no soy yo quien asusta a la gente. (J. Benavente)

***3.17** *Como si* + subjunctive, *Como que* + indicative } *As if...!*

—¡Imbéciles, como si no supiéramos todos que lo han guardado en una mesa!
(P. Baroja)
The fools! As if we didn't all know that they've put it away in a table drawer.

—¡Trabajar! ¡Como si yo no tuviese otra cosa que hacer! (M. M.)

—Pero bueno es mi padre. Como que me va a dejar ahora, como antes, sabiendo que está él allí. (Seco, 369)
But my father's a sharp one! As if he's going to let me go now, knowing that he's there!

—¡Como que te lo va a dar! (J. Polo, 1969, 49)

*NOTE

For other uses of *como que*, see 1.18, 4.3.5, 5.22.4, and 5.24.1.

***3.18** A further indication of indignation is by use of patterns including *si* and the future, conditional, and future perfect tenses.

***3.18.1** The future and related tenses, with or without initial *si*, are occasionally used in exclamations of surprise, indignation, etc. The reinforcements *fíjese/fíjate* and *mire/mira (que)* may precede the *si*. English versions: *How...!*, *What a...!*, *He must be...!*, etc.

—¿Devolver «El Tomillar»...? ¡Será insensato! (J. Calvo Sotelo)
Give back «El Tomillar»? He must be crazy!

Una niña brotó a su lado, lo miró con ojos grandes y le pidió chocolate... «No tengo, pequeña. Lo siento.» La niña siguió mirándole. ¡Sería impertinente! (J. M. Gironella)

—¡Si será tonto! (*Esbozo*, 471)
How silly he is!

—¡Si habré tenido paciencia! (*Esbozo*, 472)

—¡Si estará bonito aquello!
How nice! (sarcastic)

*NOTE

See also 1.2, 2.10, 2.11.2 note, and 4.25.1 note.

***3.18.2** A more complex colloquial sentence pattern consists of the above pattern (with *si*) followed by a result clause. English: *(I am) so... that...*

—Si estaré aburrido que creo que voy a aprobar el primer curso completo (A. Palomino)
I'm so bored that I think I'm going to pass in all my subjects for the first time ever.

—¡Si habrá nacido de pie este bendito Plácido... que hasta se saca la lotería sin jugar! (B. P. G.)
Old Plácido is so lucky that he even wins the lottery without buying a ticket!

—Mire si seré tonto que no me acuerdo. (J. F. S.)

—¡Fíjate si tus obras serán geniales, que no las entiende ni tu padre! (A. de Laiglesia)

3.19 A common colloquial pattern for the expression of impatience with and/or rejection of a preceding statement, imperative, or question consists of an interrogative word followed by *ir a* or *haber de* (usually in the present and imperfect tenses, but also occasionally in the conditional tense of *haber de*), followed by a repetition of the word or words which have provoked this brusque reaction (if they are not already covered by the interrogative word itself).

By using these verbal periphrases, which are most often associated with references to the future, the speaker is able to project an unwelcome statement, imperative, or question into the future, and thereby convert it into a mere hypothesis, which this interrogative form of the sentence then rejects as unlikely, impossible, or irrelevant. Very often, as shown in 2.15.2, the English translation will be an energetic negative response (e.g. *Of course not!*), but the pattern is, in fact, much more versatile than this and, in different contexts, the following translation equivalent patterns are also possible:

a) Interrogative word + *can, could, would,* or *should:*

—¿Lo crees?

—¿Cómo lo voy a creer? —¿Por qué lo he de creer? —¿Por qué lo iba a creer? —¿Cómo lo había de creer? —¿Cómo lo habría de creer?	*Why should I believe it?* *How can I believe it?*

—¿Lo creías?

—¿Cómo lo había de creer? —¿Por qué lo iba a creer?	*How could I...?* *Why should I (have) believe(d) it?*

b) *Of course* { *(not).* / *I do/I did/I could,* etc. / *I don't/I didn't/I couldn't,* etc. }

c) *What do you* THINK *he did?*
How do you THINK *he did it?*
How do you expect ME *to know?*

NOTES

1. In these patterns, *¿Qué?* may be a variant for *¿Por qué?*
2. The standard sentence pattern consisting of an interrogative word followed by *quiere(s) que* is also used in a similarly brusque type of answer:

—¿Quién es ése?
—¿Cómo quieres que sepamos quién es? (A. B. V.)

—¿Quién es?
—¿Quién quieres que sea? —suspiró el de los harapos. (J. Goytisolo)

3.19.1 Examples with *ir a:*

—De eso ya se alivió.
—¡Qué se va a aliviar! (V. Leñero, *Mex.*)
«He's recovered from that.»
«Of course he hasn't recovered!»

—¿Le conoces? ¡Ay, qué tontería! ¡Cómo no le vas a conocer!
(Televisión Española, 1973)
Do you know him? Oh, how silly of me! Of course you do!

—¿Qué te pasa con el chico?
—Nada, ¿qué me va a pasar? (C. Gorostiza, *Mex.*)
«What's the matter between you and the boy?»
«Nothing. Why should there be?»

—¿Y qué tal tus negocios?
—¿Cuáles?
—¿Cuáles van a ser? Las casas, los grandes hoteles. (A. Casona)

—Tú conocías a mi papá mejor que yo...
—Cómo lo iba a conocer mejor que usted. (M. V. L.)
How could I have known him better than you did?

—¿Y qué hizo?
—¿Qué iba a hacer? Estaba en una posición falsa. (J. G. H.)
What could he do?/What do you think he did?

—¿Vos? ¿Y por qué te iban a llevar, a vos?
—¿Cómo por qué? ¡Por envenenador! ¿Te parece poco? (C. Gorostiza, *Arg.*)

—No cambió nada...
—¿Y por qué iba a cambiar en tres meses? (O. Dragún, *Arg.*)
Of course not/Why should it (change)?/How could it?

—¿No había visto él a Luisito?
—Ay, mamá, ¿dónde iba él a verlo? (W. Cantón, *Mex.*)
Oh, mother, where could he have seen him?

3.19.2 Examples with *haber de:*

—No me defenderé.
—¿Qué te has de defender tú...? (Keniston, 87)
Why should you defend yourself?

—Ellos a lo mejor sí saben.
—Qué han de saber. (A. Gala)
«Perhaps they DO *know.»*
«Of course they don't!/How can they know?»

—¡Calla, idiota!
—¿Por qué he de callarme? ¿Es que no es verdad? (M. M.)
Why should I?

—¿Puede saberse a quién te refieres?
—Pues, quién ha de ser... Tú y el chico, cogidos de la mano... (J. Goytisolo)
Who do you think I mean? You and the boy, holding hands.

—¿No se ofende si le pregunto una cosa, don Pepe?
—¿Por qué había de ofenderme? (L. G. Basurto, *Mex.*)
Why should I get offended?

—El otro día soñé que te habían detenido otra vez.
—Pero, ¿por qué habían de detenerme? (J. L. C.-P.)

—Él habla muy bien de usted.
—No veo por qué había de hablar mal. (L. Spota, *Mex.*)

—¿Alguna mala noticia, Hermano?...
—No; todo lo contrario... ¿Cómo habría el Señor de enviarnos una noticia desagradable en un día como hoy? (J. F. S.)

***3.20** Also used to reject a suggestion, a statement, or an inference just made and to rebuke the person who made it is the pattern consisting of *Ni que* followed by a verb in the subjunctive (normally in the imperfect tense). Although the tone is indignant, responses made from this pattern may also carry overtones of mockery or jocularity. Such comments can usually be translated into English by sentences beginning with *Anyone would think (that)*, or with *It's not as if.*

La madre *(y vuelve a abrazar a su hijo)*: —... ¡Vicentito!
Vicente *(Riendo)*: —¡Vamos, madre! ¡Ni que volviese de la luna! (A. B. V.)

—Ya voy, ya voy; ni que estuviese cruzando el desierto. (E. Buenaventura, *Colom.*)
I'm bringing the water! Anyone would think you were crossing the desert!

—Pero, papá, a tus años...
—Ni que fuese un anciano. (J. A. de Z.)

—¿Diez pesetas por una «foto» de ese montón de basura? ¡Ni que fuera la Brigitte Bardot! (J. F. Dicenta Sánchez)

*Note

Ni que presumably derives from the colloquial use of a subordinate clause introduced by *ni aunque* (see 4.34.4), which may also be used to form a colloquial sentence pattern (i.e. without a standard main clause):

—El padre de Eugenia se suicidó después de una operación bursátil desgraciadísima y dejándola con una hipoteca que se lleva sus rentas todas. Y la pobre chica se ha empeñado en ir ahorrando de su trabajo hasta reunir con qué levantar la hipoteca. Figúrese usted, ni aunque esté dando lecciones de piano sesenta años. (M. de Unamuno)
Imagine! She wouldn't manage to pay it off even if she were to go on giving piano lessons for sixty years.

M. Seco (1967, p. 54) gives the following alternative pattern which shows ellipsis of *ni:*

—¡Mia [=*mira*] que montar yo esta maquinaria! ¡Aunque me dieran cinco duros!
I wouldn't do it even if they offered me twenty-five pesetas.

* RESIGNATION

***3.21** Sentences introduced by *Para* followed by the definite article, a noun and a relative clause or by *lo que* and a verb (i.e. *Para el... que...; Para lo que...*) indicate that something does not matter in view of the circumstances mentioned in the sentence. The pattern is equivalent to the standard form *No importa porque...* and to English *For all (the good) that...*

—Los dueños vendieron sus haciendas a las compañías, dicen que por un dineral...
—Bueno, allá ellos. Para lo que hacían con esas tierras. (C. Rengifo, *Venez.*)
Well, that's their concern. They hardly used their land anyway.

—¡Que aquí no llega la música!
—Para la falta que os hace... (F. Umbral)
For all you need it!/But you don't need it at all.

WISHES, REGRET, AND REBUKE

3.22 The most common colloquial patterns for wishes and hopes are those introduced by *¡Ojalá (que)!* and *¡Si!* Less frequent are those introduced by *¡Así!* and *¡Quién!* Where *If only* and *May* are not suitable, translation into English sentences types is as follows:

¡Ojalá (que)! and *¡Así!:*

a) When followed by the present or perfect subjunctive tenses: *I hope.*

b) When followed by the imperfect or pluperfect subjunctive tenses: *I wish.*

¡Si! and *¡Quién!* (which are usually followed by the imperfect or pluperfect subjunctive tenses): *I wish.*

Examples:

—¡Ojalá vuelva pronto!

—¡Ojalá volviera pronto!

—No sé por qué, pero tengo la seguridad de que algo va a ocurrir aquí.
—Voy a preparar la cena. Ojalá no te equivoques, César. (R. Usigli, *Mex.*)

—¡Así Dios me castigue si le miento! (Ramsey, 443)

—¡Así te mueras! (Seco, 48)

—¿Cómo sigues?
—Muy malo, Federico. Estoy que no me tengo.
—¡Así reventaras de una vez! (M. M.)
I wish you'd just drop dead!

—¡Si pudiera volver ahora!
I wish I could go back now!/If only...

—Tengo veinticinco años, señor cura.
—¡Quién volviera a tenerlos! (E. Caballero Calderón, *Colom.*)
I wish I could be twenty-five again!

—¡Quién pudiera vivir contigo! (Keniston, 160)

*NOTE

For *¡Ojalá!* as a verbless response, see 4.3.4.

***3.23** Two other colloquial sentence patterns which convey a wish, regret, or rebuke do not have any introductory grammatical word but are still characteristic of emotional usage.

***3.23.1** The first of these must be assumed to derive from a *si*-pattern (similar to that described in the preceding section) from which the *si* has been omitted. The pattern, which is found in the imperfect or pluperfect tenses of the subjunctive, seems to be more common in American Spanish than in Castilian. In Mexican usage the pattern is especially frequent with the imperfect subjunctive of *ver*. Suitable English translations are: *If only...; You should have; Why didn't you...?*

—¡Hubieras venido entonces! (Moliner)
If only you had come then!

—Dijéranlo de una vez. (Ramsey, 440)
If only they had said so!/Why didn't they just say so?

—Vieras cómo impresioné a los de Ovando, Federico. (C. Fuentes, *Mex.*)

—El Padre Azócar me estuvo mostrando los proyectos de la ciudad del Niño. ¡Son preciosos! ¡Viera qué ventanales! (J. Donoso, *Chile*)

—Viejo —exclamó el Fiero—, hubieras visto ese asaltito de Umay que hicimos hace varios meses. (C. Alegría, *Peru*)

—¡Qué barbaridad! ¡Me hubieras dicho! Yo te las hubiera comprado por la quinta parte. (J. M. Lope Blanch, 1971, 184)

*NOTE

See also 4.35.2.

***3.23.2** The second of these patterns consists of the use of the perfect infinitive (e.g. *haber hecho*) to indicate to the listener a brusque reproach and/or regret. Again one may assume this to be a reduction of a standard structure from which a finite verb form, such as *debería(s)*, has been omitted. The pattern is most characteristically found with the verbs *decir* and *hacer*. English: *You should have..., Why didn't you...?*

> —¡Cómo erré la vocación!
> —¡Pues haberlo pensado antes! (Ramsey, 354)
>
> Haberlo dicho con cuidado y no tendrías que repetirlo. (Moliner)
>
> —¡Una limosna, por Dios, señorito, que tengo siete hijos!
> —¡No haberlos hecho! —le contestó malhumorado Augusto. (M. de Unamuno)
>
> —Creo que, efectivamente, los toros son demasiado pequeños.
> —¡Pues haberlo dicho al principio! (A. de Laiglesia)

*NOTE

María Moliner (vol. II, p. 8) also lists examples which refer to the speaker or to a third person not present:

> —¡Haberlo sabido!
> *I wish I'd known!*
>
> —Ha tenido que pagar: haber sido más listo.
> *...He should have been more careful.*

SUPPLEMENTARY EXAMPLES FOR STUDY AND TRANSLATION

A

1. —¡Qué ser tan odioso es usted! (Luisa J. Hernández, *Mex.*)
2. —¡Pobre hermano! ¡Si alguien le hubiera dicho que iban a olvidarle tan pronto!... Si te ve desde el cielo, ¡qué disgusto el suyo! (J. Benavente)
3. —¡La sed que tengo!
4. —No quiero que pienses que te he mandado llamar para reñirte. Pero ¡si vieras la de cartas, la de quejas que me llegan de tus sermones! (J. L. Martín Descalzo)
5. —Estábamos comentando lo peligrosas que son las ventanas en estos patios de vecindad. (R. Rodríguez Buded)
6. —Lo que nos ha hecho gastar este perro...
—Un hijo no hubiera costado más. (Silvina Ocampo, *Arg.*)

7. —¡Lo que se ha divertido esa niña, Juan...! ¡Las cabezas que ha vuelto locas en diez años de una punta a otra de Europa! (V. Blasco Ibáñez)

8. —Ya me extrañaba a mí que no llegara el día que dijo. ¡Con lo puntual que es! (J. López Rubio)

9. —¿Yo qué sé?
—Extraño. ¡Con la de cosas que aprendiste en el colegio! (Elena Quiroga)

10. —¡Y qué flores tan lindas! ¡Con lo que me gustan a mí las flores! (M. M.)

11. —¡Sí que estoy yo para bromas! (Moliner)

12. —¡No lo vamos a pasar bien ni na!

13. —Podíamos haber ido a cualquier otro lado.
—¿Y a qué otro lado podríamos haber ido?
—Bueno..., ¡pues no conozco yo sitios mejores! Incluso en mi pensión me dejan recibir a algún amigo... (M. M.)

14. —¡Anda y que no tiene suerte ese hombre!

15. —¡Estaría bueno!

16. —¡Menuda casa!

17. —¡Bonita pareja de amargados, Martín y tú! (J. Marsé)

18. Carcelero: —Tengo que tomar precauciones. Voy a quedarme sin trabajo y...
Beatriz: —¡Valiente trabajo! (C. Solórzano, *Guatemala*)

19. —¡Esto no se queda así! Alguno va a pagar la altanería del doctorcito ese. ¡Venir a hablarme a mí de leyes! (R. Gallegos, *Venez.*)

20. —¡Cobarde —le gritó Ocampo, alzando las manos para castigarlo—. Pegarle a un tipo como Ruperto. (G. Casaccia, *Paraguay*)

21. —Mira tú que venir ahora con milagros. (G. Torrente Ballester)

22. —¿Usted no la leyó?
—No, qué voy a leer. Yo no creo en nada. (C. Gorostiza, *Mex.*)

23. —¿Es aquél?
—¡Qué va a ser aquél! (Keniston, 203)

24. —Pero ¿estás enfermo?
—¡Cómo no voy a estarlo! (J. L. C.-P.)

25. —¿Y qué decía?
—Nada, qué iba a decir, se quejaba. (C. Gorostiza, *Arg.*)

26. —¿Es verdad todo eso?
—¿Por qué te iba a mentir? (W. Beneke, *El Salvador*)

27. —¿Usted, amigo Paradox, no tendrá en su casa algunos muebles?
—Yo ¿qué he de tener? (P. Baroja)

28. —¡Conque no es honrada!
—¿Qué ha de ser, hombre? (B. P. G.)

29. —¿Ha estado atento con mi padre?
—Pues ¿cómo había de estar? (J. A. de Z.)

30. —La soga con que se ahorcó tu hermano, ¿era corta o larga?
—¿Cómo quieres que lo sepa, imbécil? (R. Arlt, *Arg.*)

31. —¡Ojalá tengas razón!

32. —¡Ojalá tuvieras razón!

33. —¡Quién tuviera más suerte!

34. —¡Quién pudiera ser como usted! (Keniston, 161)

35. —¿Tú estás segura de lo que dices?
—¡Oh!... ¡Así me muera si no es verdad! (B. P. G.)

B

Exercise 1. Sections 3.0-3.13

1. —Pero, ¡qué cabeza la mía! No te he preguntado por tu marido... ¿Está?
—Sí, en su despacho. (A. B. V.)

2. —¡Cuántos años sin verle, don Basilio!, ¿qué tal está usted? (C. J. C.)

3. —¡Qué ocurrencia esa de Gabriela de pensar que estábamos predestinados el uno para el otro por las iniciales de nuestros nombres! (G. Casaccia, *Paraguay*)

4. —Tú has estudiado, trabajas, cuanto has ganado ha sido para nosotros... Pero yo..., ¡criatura más inútil! (J. Benavente)

5. —No sé cómo puedes vivir aquí. ¡Qué asco de calles! (M. Aub)

6. —Vaya golpe que le atizaron, señor cura.
—Sí, capitán —le respondí, frotándome la mejilla (F. Benítez, *Mex.*)

7. —¡Los billetes que vendieron! (E. Lorenzo, 134)

8. ¡Las cosas que se podrían producir en este país si hubiera personas que conocieran el modo de hacerlo...! (C. Maggi, *Urug.*)

9. —Y cuando se marchó, me dijo: "Portillo, toma, para que agarres una borrachera a mi salud." Y fue y me dio dos duros. ¡La que cogí! (C. J. C.)

10. —Mira qué de rosas caen por todas partes. (Keniston, 130)

11. —¡Qué gran mujer; lo que ha debido de sufrir en su vida y la elegancia con que ha sabido luchar! (J. A. de Z.)

12. —Fíjate. Dice que se han reído. ¡Lo que se divierte cuando no está contigo! (A. Marquerie)

13. La señora Terrats había sido estéril, y Eulalia empezaba a comprender lo vengativa que podía ser la esterilidad. (Mercedes Salisachs)

14. —Es que tú no sabes lo que yo te quiero; que te lo diga Julio; siempre le estoy hablando de ti. (J. Benavente)

15. —¿Queréis que os recite una poesía?...
—¡Que no sea aquella de Gibraltar...!
Matías soltó una carcajada e Ignacio corroboró:
—¡Caray con el Peñón! (J. M. Gironella)

16. —... Como cerdos vivimos.
—Hombre —saltaba Amalia ofendida—. Lo que fue bueno para mis padres...
—¡Dale con tus padres! (Elena Quiroga)

17. —¿Por qué no ponerte al lado de los que pueden corresponderte? Pues, no señor, dale con los desarrapados y los paletos, como si los desarrapados y los paletos fueran siquiera a agradecértelo. (M. D.)

18. —¡Niña! ¡Niña! ¡Vaya con la nietecita que nunca se enfadaba! (Carmen Laforet)

19. —¡Cuidado con el retintín con que me lo ha dicho! (F. García Lorca)

20. —¡Cuidado con las cosas que le da a uno por pensar en estos sitios! (A. Gala)

21. —Toma, llévalo tú. ¡Y ojito con dejártelo caer! (R. S. F.)

22. Manipuló en la radio y bajó el volumen, diciendo: —¿Os gusta eso? ¡Mira que llegáis a ser borregos! Esta música es para borregos. (J. Marsé)

23. —¡Mira que si por fin viniese hoy! (M. M.)

24. —Pero cuidado que hemos hecho el ridículo a lo largo de toda nuestra vida. (R. S. F.)

25. —Cuidado que en los regalos que le llevamos traté yo de excederme y ni me dio las gracias. (J. A. de Z.)

26. —No lo esperaba, pero la encuentro más ciudad moderna que Madrid, y cuidado que Madrid me encanta. (J. A. de Z.)

27. —¡Oh! ¡Qué hijos! Y cuidado que yo les predico, y les predico como un misionero. Me gustaría que me oyeras cuando les hablo del hogar y de la familia cristiana... (V. R. I.)

28. —Cómo envidio los cabellos lisos..., como los de los chinos, que hay que ver lo lisos que los tienen los asiáticos. (A. Grosso)

29. —¡Hay que ver esos ingleses! ¡Mira que declararle, así por las buenas, la guerra a Alemania! (J. M. Gironella)

30. —¡Hay que ver qué grosería! Va a fumar delante de los Reyes. (A. Gala)

31. —Tú no veas lo harta que estoy. (R. S. F.)

32. —¡Desgraciada de ti si me metes en un callejón sin salida! (L. C. Harmer and F. J. Norton, 495-496)

33. —¡Ay de vosotros si eso es mentira! (Moliner)

34. —Los países de los infieles deben estar llenos como hormigueros.
—¡Ya lo creo! Con lo monos que son los chinitos chiquitines. (C. J. C.)

35. La calle de la Riera era un mar de comestibles estrellados. Había de todo en el pavimento: pasteles, helados derretidos, tomates, pescados...
—¡Santo Dios, con la cantidad de gente muerta de hambre que hay! (Mercedes Salisachs)

36. —... que ni a Valen me atrevo a contárselo, date cuenta, con la confianza que yo tengo con Valen. (M. D.)

37. —¡No me revuelvan las maletas tanto! ¡Con lo que me costó hacerlas! (A. Zamora Vicente)

38. —Allá va [*usted*] a estar bien. ¡Con lo bueno que ha sido usted siempre y ahora se nos pone a dar guerra! (J. F. S.)

39. —Tan feliz que estaba yo, y hoy mi mamá se ha molestado conmigo, porque he traído malas noticias del liceo. (E. Barrios, *Chile*)

40. —Tan quieta y calladita que te habías pasado la noche.
—Le tenía miedo. (S. Eichelbaum, *Arg.*)

41. —¿Queréis callar? ¡Pues sí que empezáis bien para venir a una visita de cumplido! (M. M.)

42. —De noche me está prohibida la carne... y las conservas, siempre.
—¡Pues sí que está usted arreglado!... No haga caso de los médicos. (R. Carnicer)

43. —¡Fíate del agua mansa! (S. and J. Álvarez Quintero)

44. —Tiíta, no puedo dormirme. Cuéntame cuentos.
—Sí, para cuentos estoy yo. Déjame en paz, o verás. (B. P. G.)

45. —Pues no son cínicos, ¿eh? (R. Marqués, *P. Rico*)

46. —Voy a tener un niño...
—Tú bromeas... ¡Pues si fuera verdad, no lo habrías cantado poco..., con las ganitas que tú tienes! Ya se lo habrías contado hasta a los sordos. (B. P. G.)

47. —Y todas son calles principales y todas están llenas de público, y luego dirán que la Argentina tiene poca población. ¡Anda y que tampoco hay almas ni nada por todas partes! (M. D.)

48. —¡Anda! ¿Y no lo sabes?
—Sí, mujer, ¡no voy a saberlo!, es que no sabía que lo supieses tú. (C. J. C.)

49. —¿Tú te acuerdas de Casalonga?
—¿Recaredo Casalonga? ¡No he de acordarme! Un tipo delicioso, gran filósofo de la vida, un humorista muy divertido... (J. Benavente)

50. —¡Menuda vida se estarán pegando! (J. Marsé)

51. —No se le ocurra a nadie decir que sabíamos lo que estaba pasando, si no...
—Claro que no. Si no, lindo lío nos espera. (C. Gorostiza, *Arg.*)

52. —Nada me importa, pero podías habérmelo dicho antes; yo no hubiera hecho el ridículo con los amigos.
—Los amigos... ¡Valientes amigos! (J. Benavente)

Exercise 2. Sections 3.14-3.23

1. —¡Imagínate! ¡Decírmelo a mí!

2. —Cuidado que mandar todo a paseo: casa, parientes, fortuna, querer, y sacrificar su juventud para andar toda la vida entre miserias. (B. P. G.)

3. —¡Pobrecita mía! ¡Mira que haber llegado a esto! Vamos, no llore usted, hija... Que con la ayuda de Dios todo se podrá arreglar. (M. M.)

4. Estrujó rabiosamente la hoja del folleto, murmurando:
—¡Que este papel, este pedazo de papel que yo puedo arrugar y volver trizas, tenga fuerza para obligarme a hacer lo que no me da la gana! (R. Gallegos, *Venez.*)

5. —¡Que pueda sostenerse semejante disparate! (Moliner)

6. —¡Santo Dios, qué cosas pasan! ¡Y parecía tan decente! Para que se fíe una de las apariencias... (Mercedes Salisachs)

7. —... Manolo se está cayendo de sueño.
—¡Como si fuera el único que no durmiera! (J. Benavente)

8. —¡Y que se priva uno de mucho...!
—Vamos, Lucio, no me venga usted ahora... Como que usted se priva de algo. Si bebe al cabo del día más que ninguno de nosotros. (R. S. F.)

9. —¿Y Paco?
—Se acostó.
—¡Será sirvergüenza! (J. M. Rodríguez Méndez)

10. Si será grande la fiesta de toros que, a pesar de las mutilaciones, fraudes y despropósitos de los que la manejan, todavía está viva y coleando. (*A B C*, edición semanal, 31-10-74)

11. —No, el sitio no está mal elegido.
—¡Qué va a estar! (V. Leñero, *Mex.*)

12. —Sí, eso dicen, que cenar mucho es malo, que no se hace bien la digestión.
—¿Qué se va a hacer bien? ¡Se hace muy mal! (C. J. C.)

13. —¿Recuerda usted?
—Cómo no voy a acordarme. (J. Goytisolo)

14. —Hace un rato largo que llamo, pero siempre estaba ocupado, hasta temí que hubiera descolgado...
—¿Por qué iba a descolgar? (Silvina Bullrich, *Arg.*)

15. —Dígame una cosa: ¿el querer ser honrada no es lo mismo que serlo?
—¿Cómo ha de ser lo mismo querer ser una cosa que serlo? (B. P. G.)

16. —¿Es verdad eso de la visita a Jesús?
—¿Y por qué no ha de ser verdad? (A. M. de Lera)

17. ... dijo con una malicia que le alegró el semblante:
—No olvidará usted la bella noche en el Plan de los Tordos.
—¿Por qué no había de parecerme bella una noche pasada en su hacienda? (J. Goytortúa, *Mex.*)

18. —... ¿Me das tu palabra de hombre?
—¿Cómo quieres que proceda como hombre si le tratas como a una criatura? Eres incongruente. (R. Usigli, *Mex.*)

19. —Papá no sabe disimular al verme a mí tan feliz y contenta..., va orondo..., orondo.
—Hija, por Dios, ni que te hubieras casado con el príncipe de Gales. (J. A. de Z.)

20. —No los encuentro, don Pedro. Me dicen que salieron de Mascota y unos me dicen que para acá y otros que para allá.
—No repares en gastos, búscalos. Ni que se los haya tragado la tierra. (J. Rulfo, *Mex.*)

21. —¿Cómo van tus clases de inglés?
—Bah.
—Pero, ¿sigues dándolas?
—He dejado unos días de estudiar. Para lo que me va a valer... Ya ves, para lo que le ha valido a Margot saber francés. (J. G. H.)

22. —¿Tú crees que tendremos bastantes lombrices con las que llevamos?
—De sobra. Para lo que vamos a pescar...
—¿Por qué te empeñas siempre en ser pesimista en asuntos de pesca? (M. M.)

23. —El pobre hombre salió del coche, pálido como un muerto. Estaba a punto de desmayarse.
—Ojalá se hubiera muerto allí mismo. (A. Sastre)

24. De vez en cuando pasaba un avión; todos levantaban la cabeza y señalaban el cielo: —¡Quién pudiera ir ahí metido! (Mercedes Salisachs)

25. Junto a ella hay un perro ladrador. Un perro nervioso que patea y mancha la ropa que la muchacha ha tendido en un herbazal.
—¡Así te murieras, Canelo! —le grita la chica al animal. (A. Grosso and J. López Salinas)

26. —Dile a tu madre que ya sabe mi marido lo que tiene que hacer, y que así supiera ella aliñar con laurel y pimienta un buen guiso como mi marido componer zapatos. (F. García Lorca)

27. —¡Nunca lo hubiera dicho! (Spaulding, 62)

28. —Lo demás se lo di a López Soler, se lo presté al pobre... Entonces hubieras visto a mi padre rugir como un tigre: "¡Prestar dinero a un sirvergüenza semejante que no te lo devolverá jamás!" (Carmen Laforet)

29. —Pero si todo el mundo lo sabe... Vieras los escándalos que ha dado mi tío por esa muchacha. (Ramsey, 440)

30. —La Generala sabía mandar mejor que los hombres... La hubiera usted visto en los combates... ¡Qué valientísima era! (J. Goytortúa, *Mex.*)

31. —Me figuré verte pobre, pero así..., ¡así!...
—¿Creías encontrarme con gabán de pieles? Cuatro meses sin más que tus cincuenta pesos... ¡Calcula tú!...
—Haber dicho, niño...
—¡Haber dicho! ¿A quién? Tú no podías hacer más. Te pedí esos trescientos pesos, que sabe Dios cómo los conseguiste. (E. Barrios, *Chile*)

32. —Me molestáis todos.
—Pues, hija, haber convidado gente de tu gusto. (J. Benavente)

33. Nos reímos bien, hasta que llegó Rufi con la botella de whisky.
—Pero no haberse molestado en bajar usted. (J. G. H.)

4

STRUCTURAL VARIATION: THE VERB

4.0 Preceding chapters have dealt with emotional and other special characteristics of colloquial Spanish which manifest themselves in the form of sentence adjuncts, ready-made sentences and formulae, and sentence patterns. Such sentence features and types are relatively easy to identify either because they exhibit syntactical features different from those of standard Spanish sentences or because they require a non-literal semantic interpretation fixed by the conventions of colloquial usage. There are, however, many other colloquial syntactical characteristics which consist of variants or equivalents of components of otherwise standard sentences. Such features are of two basic types: replacement of standard sentence components by colloquial counterparts, and, less frequently, omission or ellipsis of standard components. These colloquial structural variants occur in many parts of the sentence but the greatest number —and those which perhaps most affect accurate comprehension and translation by non-native students of Spanish— are variations of the central feature of the standard sentence, the verb. These will be described in detail in this chapter, leaving other types of structural variation for Chapter 5.

SENTENCES WITH NO MAIN FINITE VERB

4.1 As has been seen in Chapters 2 and 3, many colloquial sentences are characterized by the absence of a main finite verb. Apart from those ritual sentences and patterns already described, three broad groups of such sentences can be distinguished:

- — those dependent for their meaning on the language context or on the dialogue situation: 4.2-4.3;
- — those which imply the ellipsis of certain common verbs: 4.4-4.5;
- — particular sentence types: 4.6-4.9.

*NOTE

As in standard Spanish, the repetition of a verb already used in the sentence may sometimes be avoided. Special to colloquial Spanish, however, is the optional avoidance of such repetition after *lo que,* when this is equivalent to *lo mismo que:*

—Y a mi hermano le va a pasar lo que a don Quijote de la Mancha. (Keniston, 98)

The same thing is going to happen to my brother as happened to Don Quijote de la Mancha.

4.2 To be briefly considered here are examples of verbless sentences (usually exclamations or questions) whose meaning is completely dependent on intonation and the linguistic or extra-linguistic situation in which they are uttered. An interrogative utterance like *¿Otra copa?,* for example, could be taken in two different situations and with different intonation as an offer (i. e. *¿Quiere otra copa?*) or as a criticism (i. e. *¿Vas a tomar otra copa?*). Similarly, the verbless question *¿Otra vez?* might be a variant for an impatient *¿Me lo preguntas otra vez?* or for a surprised or indignant *¿Lo has hecho otra vez?* In a given situation, such verbless sentences should present no comprehension problems.

4.3 Below are listed types of response sentences which consist of what we might call sentence fragments and which depend for part of their meaning on the forms used in a preceding sentence. For this reason they can be said to be semantically and syntactically bound to the context.

4.3.1 In answer to a question, virtually any sentence component may be used as a response:

—¿Qué vas a hacer?
—Nada.

—¿Quién lo hizo?
—Yo/Su tío.

—¿Cuándo se va?
—Mañana.

—¿Vendrás hoy?
—Si puedo.

—¿Cómo le va?
—Bien, ¿y usted?

—¿Te gusta?
—Mucho.

—¿Cómo lo conseguiste?
—Trabajando como un negro.

—¿Cómo te encuentras, abuelo?
—Mejor que tú. (J. Salom)

NOTE

A special positive response form is the use of *mucho* as a variant for *es muy* + adjective:

—Esta es una colección muy interesante.
—Sí, mucho. (Ramsey, 172)

4.3.2 A case of particular interest is the use of the infinitive in answer to a question, whether direct or reported. Usually the question verb is *hacer*, and the tense and subject of the reply are implied by the form of the preceding question.

—¿Qué haces?
—Lavarme, mujer. (C. R., 474)
(I'm) Having a wash!

—¿Qué hacéis vosotros aquí?
—Esperar la orden. (J. Dubský, 1966, 1)

—¿Y qué vais a hacer?
—Morirnos de hambre. (Keniston, 235)
Starve to death.

—¿Y sabes lo que hizo al verme?: pues pararse en seco, dar media vuelta y empezar a seguirme. (A. de Laiglesia)

NOTES

1. The infinitive may also be used to query or reject a preceding question or suggestion. In these cases the infinitive is a repetition of the verb previously used:

   —Mientes.
   You're lying.
   —¿Mentir yo? (R. Arlt, *Arg.*)
   Me, lying?

   —¿Por qué no te acuestas?
   —¿Acostarme yo, yo..., cuando tengo que contarte tantas cosas? (B. P. G.)

   —¿Cómo te has acordado, así, de repente?
   —¿Acordarme, de qué? (F. Umbral)

2. For the use of the infinitive in indignant responses which are independent of the *form* of the preceding sentence, see 3.14.

4.3.3 Another group of these verbless sentences is especially important to the English-speaking student of Spanish, because it corresponds to the use in English of responses or contrastive sentences containing auxiliary verbs and voice stress on a subject pronoun or noun (e. g. HE *can't come.* I *can;* HE *doesn't see it.* I *do;* HE *sees it.* I *don't*). The Spanish sentence pattern normally involves the use of a subject pronoun or a noun (although other sentence elements are also possible) followed by *sí* or *no.*

—Él no lo ve; yo, sí.

—Tengo mucho tiempo.
—Yo, no.

—No quiero ir.
—Yo, sí.

—Mauricio no puede resistirlos.
—¿Y tú sí? (A. Casona)

—Él no puede venir; su hermano, sí.

—Pero no vino.
—Por la tarde, sí.

NOTE

For other uses of *sí,* see 1.6.

***4.3.4** The use of *¡Ojalá!* alone as a response also deserves a brief separate mention here. In answer to a question or as a response to a statement, *¡Ojalá!* means either *I wish* (*I could,* etc.) —implying a negative response— or *I hope so,* the action referred to being that of the verb used in the preceding sentence.

—¿No puedes venir al cine conmigo?
—Ojalá.

—¿Habrá estado Gustavo alguna vez con una mujer? Ojalá. Seguramente, sí. (M. Benedetti, *Urug.*)

***4.3.5** Also worth separate consideration is the use of sentences consisting of a *como que* reason clause unaccompanied by a main clause. The principal function of such sentences is to offer an emphatic reason or justification for the idea contained in a preceding sentence. In other words, the two separate sentences display the relationship *main clause-subordinate clause* normally found within a single sentence.

Le había quitado el gorro y se lo encasquetaba él.
—Me queda bien, ¿verdad?
—A la medida... Como que Blanco y usted han de tener la misma horma.
(E. Barrios, *Chile*)
«It's a good fit, isn't it?»
«Perfect... Because Blanco and you must be the same size.»

—Parece que comes con hambre.
—Como que no he desayunado. (Moliner)

—Pero parece que nunca te quedas muy convencida —recalcó Luis.
—Como que soy yo la que va a la compra. (A. M. de Lera)

However, there is a not uncommon extension of this use, where the *como que* sentence is an emphatic reaction to a preceding sentence and offers a reason for or a corroboration of an affirmative response, whether this is expressed or not. Where *Because* is not suitable, English translation will normally be by one of the following equivalents: *Why, ... (even)...; Yes, and...*

—Pero, ¿tú qué sabes?
—¡Como que lo vi con mis propios ojos! (A. Alonso, 1925, 150)
(=*Lo sé porque lo vi...*)
«*How do you know?*»
«*Why, I saw it with my own eyes!*»

—¿Es posible?
—Como que yo lo vi. (*Esbozo*, 551)
Yes, and I saw it too.

—Y ha intentado comprármela.
—¿Es posible?
—Y tan posible. Como que me ha ofrecido dos mil pesetas. (M. M.)
I'll say! Why, he's even offered me two thousand pesetas for it!

*NOTES

1. For the use of *como que* as an equivalent of *como* or *porque,* see 5.22.4.
2. Exclamatory sentences beginning with *Con decir(te) que* and lacking a main finite verb fulfil an emphatic clarifying or explanatory function broadly similar to the extended use of *como que* described above:

—Pues verá, nuestra historia es bien corta... ¡Con decir que no llega al siglo! Nuestra Iglesia nació en Inglaterra. (J. F. S.)
Well, you see, our Church has a very short history. Why, it isn't even a hundred years since it was founded, in England.

*4.4 Ellipsis of *estar* and *ser* (see also 5.4.2):

***4.4.1** Ellipsis of the verb *estar* is relatively common, both as a copula verb and as an auxiliary verb.

—Le leyeron la noticia, pero él tan tranquilo.
They read the news to him but he didn't turn a hair.

—Tú, tranquilo.
Don't you worry.

—¿Tú, aquí?
You here?

—Me ofreció el puesto, y yo encantado.
He offered me the job and I was delighted.

—... y yo en la luna. (M. D.)
... and I didn't know anything about it!

—Y para colmo, los vecinos escandalizando aquí todo el día, y los niños jugando al tren y armando un barullo del infierno. (A. B. V.)
And on top of all that, the neighbours have been making a noise all day and the children have been playing trains and kicking up a helluva din.

—Se murió tu mamacita anoche —le dije—, y yo buscándote por todita la ciudad, y nada. (C. Fuentes, *Mex.*)

In the case of the construction [*estar*] *sin* + infinitive, English translation is often by a negative past tense:

—Pobre criatura. Y, desde entonces, ¿sin tomar nada? (J. Calvo Sotelo)
Poor thing. And hasn't she had anything to eat since then?

—La una, y tu padre sin venir. (Keniston, 236)
One o'clock already and your father still hasn't come home.

—Aquí se vivía, ¡y yo sin saberlo! (Keniston, 50)

***4.4.2** The verb *ser* is sometimes omitted from the beginning of sentences and is usually omitted at the end of expressions of proportion (e. g. *Cuanto más..., mejor (será): The -er ..., the better (it will be):*

—Me ha dicho la muchacha que Luisa está algo delicada.
—Lo de siempre, los nervios. (J. Benavente)
(It's) The usual trouble: her nerves.

—No; yo prefiero esperar. Ya sé que hay que pasar calamidades, pero cuanto más tiempo tarden, mejor. (C. J. C.)

*NOTE

Ellipsis of the verb *haber*, and of accompanying *no*, may occur at the beginning of an implied negative comparative sentence, but this is also found in written styles of Spanish:

—Nada más fácil que decírselo.
Telling him is a very simple matter.

4.5 Another common verb frequently omitted in colloquial Spanish is *decir*. Usually the connecting *que* is retained and, sometimes, the phrase *de parte de* followed by a name or noun may be used to indicate the source of the message.

Also, *nones*, a familiar variant of *no*, may be used, e.g. *Y él, que nones (=Y él dijo que no).*

—Señora Marquesa, la peinadora, que no puede esperar. Que si tarda mucho la señora Marquesa, volverá luego. (Seco, 285)

—Cuando pueda, lleva usted este libro a la señora de Ponce..., de parte del señor. Y que muchas gracias. (J. López Rubio)
... Say it's from your master and thank her.

In the case of sentences containing *que si* (other than emphatic responses as described in 1.4.2), the idea of saying is often implied. *Que si* is used in enumerations of sentences, clauses, or nouns, especially to quote other people —particularly their gossip— often to convey a feeling of monotony, boredom, irritation, or mockery of what is reported or listed. The speaker may even mimic the voice of the person(s) he is quoting.

—Y esta mañana, cuando estuve en casa de las de Cirujeda, ¡ay!, tú no puedes figurarte cómo me pusieron la cabeza... Que si habías venido a derribar la catedral; que si eres comisionado de los protestantes ingleses para ir a predicar la herejía en España; que pasabas la noche entera jugando en el Casino; que salías borracho... (L. Spitzer, 115)
And this morning, when I was visiting the Cirujeda's house, oh dear, you can't imagine the things they said about you. «He's come to demolish the cathedral.» «He's been hired by the English protestants to preach heresy in Spain.» ...

—... que yo no sé cómo la gente lee *El Correo*..., no trae más que miserias y calamidades, que si miles de niños sin escuelas, que si hace frío en las cárceles, que si los peones se mueren de hambre, que si los paletos viven en condiciones infrahumanas; pero, ¿puede saberse qué es lo que pretendéis? (M. D.)
... I don't know why anyone reads the 'Correo', it only prints squalid and depressing stories about thousands of children with no schools to go to, the lack of heating in the prisons, starving labourers, peasants living in subhuman conditions, and so on, but what I would like to know is what do you and your friends hope to achieve with all this?

—Claro..., si en todo el pueblo no se hablará de otra cosa, ¡que si yo, que si ella, que si los mozos! (F. García Lorca)
Of course. I imagine they're all talking about it in the village, about me, about her, about the young men.

—... que también tenía sus pegas, a ver, que si los carabineros, que si la veda, que si el paludismo. (A. Zamora Vicente)
Of course, it had its drawbacks, what with the police, the hunting ban, the malaria, and so on.

—¡Que tengo unos avisitos de vez en cuando...! Que si un dolor aquí, que si otro por allí, y retortijones allá, y... (A. Zamora Vicente)
From time to time, I get little warning signs. What with a pain in one place, another in a different place, stomach cramps, and...

*NOTE

The expressions *que si tal y que si cual* and *que si patatín, que si patatán (=esto, lo otro y lo de más allá: this, that, and the other)* are used with the same effect, either after *decir* or with this verb omitted:

—A la salida empezará a decir que si tal y que si cual y que si patatín, que si patatán. (C. J. C.)
When he comes out, he'll start rambling on about this, that, and the other.

4.6 Question patterns with no main finite verb are of two types: those beginning with *y* (4.6.1), and those containing an interrogative word followed by an infinitive, or, occasionally, by a noun (4.6.2).

4.6.1 Interrogative *y* accompanied by a noun or pronoun, and sometimes followed by *¿qué?*, is equivalent to English *What about...?*

—Un hombre ha de ser sincero, de acuerdo, pero ¿y la felicidad? (J. Salom)

—¿Y las pruebas de todas sus afirmaciones? —preguntó Diz.
—Mañana, en el taller, las tendrán ustedes. (P. Baroja)

—Ya no los podemos parar.
—Pero, ¿y la policía ¿Qué hacen? (E. Wolff, *Chile*)

When followed by *si*, interrogative *y* is similar in meaning to *What if...?* or to the suggestion *Why don't we* (etc.)...?

—¿Y si tu padre nos ve?
But what if your father sees us?

—Oiga, señora Tomasa. ¿Y si nos fuéramos ahora?
—¡Lo estaba pensando! ¡Vamos! (A. B. V.)

—Andrés, ¿y si bebieras un poco más despacio? (J. G. H.)

NOTES

1. For the ritual response *Y (a mí/eso) ¿qué?*, see 2.18.
2. For *¿y?* as a blunt introduction to another question, see 1.23.1.
3. *¿Y eso?* is a query meaning *And how/why is that?* or *How come?*

4.6.2 A colloquial interrogative sentence may have the structure *interrogative word+infinitive* or, less commonly, *interrogative word+noun.* The interrogative words most frequently met in these sentences are *¿A qué?* (see 5.4.2), *¿Por qué?*, and *¿Para qué?* Possible translation equivalents are: *Why (not) (do that)?; Why should...?; How can...?; What's the point of (doing that)?; Why (so much fuss)?*

—¿A qué diablos explicar la razón de que no fuera a salones de pintura? (E. Sábato, *Arg.*)

—Salgamos. Aquí corren todos un grave peligro.
—¿A qué salir? Nos matarán en la calle. (F. Benítez, *Mex.*)

—¿Por qué no divertirse un poco? (Keniston, 87)

—... ¿para qué tirar el dinero en unos pobres diablos que ni te lo van a agradecer (M. D.)

—¿A qué tantas protestas de amistad? (Moliner)
Why all these declarations of friendship?

4.7 There are a few, mainly lexically restricted, negative verbless patterns consisting of *ni* + noun or infinitive (4.7.1) and *nada de* + infinitive or noun (4.7.2). (See also 2.14 and 2.15.2 note.)

4.7.1 *Ni* + noun or infinitive may imply either a negative past tense, an imperative, or a suggestion (especially with reference to doing and saying).

—Ná [*nada*], le pareció caro. «Pero si no para de subir to [*todo*], señor Paco», le expliqué. Y el tío, ni caso. (L. Olmo)
But it still seemed dear to him. «But everything keeps going up in price, Paco», I explained to him. But he didn't pay a blind bit of notice.

—... y que mi papá, que en paz descanse, era como usted: ni una mala acción, ni una palabra fea. (S. and J. Álvarez Quintero)
... and my father, God rest his soul, was just like you: never a bad deed or an unfriendly reception for anyone, and he never swore.

—... en medio de todo me hacía ilusiones, pánfila de mí; total, para nada: entraste y ni mirarme; sólo a tu madre. (M. D.)
... but foolishly, I had high hopes, but it was no good, you came in and didn't even look at me, only at your mother.

Por una excepción especialísima, te daré el 60 por 100... Pero ni una palabra, me crearías un lío terrible con tus compañeras. (M. V. L.)
... But don't breathe a word to anyone or I'll be in terrible trouble with your colleagues.

—A la gente, señora, ya sabe usted, ¡ni caso! (Sara Suárez Solís, 177)
But you know you mustn't pay any attention to what people say.

—Tú debes decirle: «A mí, por mí, ni preocuparte. Pero ¿y tu hija, has pensado en tu hija?» (J. Calvo Sotelo)
You should say to him: «Don't you worry about me, but what about your daughter? Have you thought about her?»

4.7.2 Sentences with *nada de* + noun or infinitive may imply an imperative, a suggestion, or, occasionally, an action in the past, but they may also indicate the undesirability of an action (cf. ***We don't want any -ing***).

—Terminad pronto vosotros. Y nada de historias con la mujer, ¿eh? No hay tiempo que perder. (A. B. V.)
Hurry up and finish, and no messing around with the woman. There's no time to lose.

—Y ahora, a dormir, ¿eh? Nada de hablar, que ya es muy tarde. Buenas noches, hijos. (L. Olmo)

—Por eso el señor senador... expuso ya que los métodos pacíficos son los que deben emplearse. Pacíficamente, como se hizo en Hawai.
(M. A. Asturias, *Guatemala*)

4.8 *The infinitive as imperative*

In addition to the constructions *ni* + infinitive and *nada de* + infinitive described in 4.7, there are other cases where the infinitive may function as a colloquial imperative.

4.8.1 In place of the positive *vosotros* imperative in Spain, the use of the infinitive has been spreading for some time. In contemporary colloquial Castilian Spanish the infinitive is either exclusively used in place of the *-d* form (e. g. *comprad, comed,* etc.) or it is at least accepted as an alternative for that form. The use of *no* + infinitive as an alternative for the negative *vosotros* form (e. g. *No habléis*), however, is less general and is not yet considered as an acceptable alternative. Nevertheless, the use of the infinitive as a general equivalent of the imperative is becoming increasingly visible in such written styles as those of advertisements, signs, and public notices (e. g. *No pasar: Do not walk/cross; No entry*).

—Bajarlo, hijas, bajarlo. (B. P. G.)

—Chicas, esperar; no os vayáis por delante. (R. S. F.)

—Callaros, escuchad esto que nos dicen. (J. L. C.-P.)

—Abrir... Abre, Senén. (Keniston, 48)
Open up, someone... Open the door, Senén.

—Un momento, no hablar todos a la vez. (J. G. H.)

—Ya vendrán, no preocuparos. (M. M.)

—No acelerarse. (R. S. F.)

4.8.2 As a general imperative, usually restricted to a few basic actions, one finds *a* + infinitive.

—¡A trabajar!

—¡A dormir!

—Venga. A beber. (A. Sastre)

—A bailar se ha dicho. (L. Olmo)

—¿Qué manda la señorita?
—¿Pero no estás oyendo el teléfono? A ver qué quieren. Di que no estoy en casa. (J. Benavente)

NOTES

1. For a ritual use of *A ver*, see 2.26.2.
2. A sentence consisting of *a* + basic noun may also indicate an imperative where movement is required:

—¡A la cama!

—¡A la mesa!
Sit down at the table.

—¿Qué es eso? Tú, a tu puesto. (Elena Quiroga)

***4.8.3** As an equivalent for a negative imperative form, *sin* + infinitive is found.

—Sin atropellar, niños, sin atropellar, que hay sitio para todos. (C. R., 457)
Stop pushing, children, stop pushing; there's room for all of you.

—Un momento, por orden. Sin quitarnos la palabra unos a otros. (J. C. H.)
Just a minute, one at a time, please. There's no need to interrupt one another.

4.9 The occurrence of sentences consisting of a subordinate clause form and implying a main clause is not uncommon, nor does it usually constitute a comprehension problem since the implied thought is clear in the context. Such sentences are most commonly introduced by *si* and less often by other subordinating conjunctions like *como*, etc.

—Si no hay otro remedio [*lo haremos*].
—No hay otro remedio. (A. B. V.)
If there's no other alternative [*we'll do it*].

—De prisa, de prisa, niña, antes de que venga Juan o Román... ¡Mira que si viene Román! ¡No quiero pensarlo! (Carmen Laforet)

Me había cogido bebiendo el agua que sobraba de cocer la verdura...
—¿Qué porquerías hace usted?
—Es que a mí este caldo me gusta. Y como veía que lo iban a tirar...
(Carmen Laforet)

NOTES

1. The use of a *si*-sentence to express a wish is an emotional extension of this pattern and is described in 3.22. For *¿y si?*, see 4.6.1.
2. The idiomatic expressions *como si nada* and *como si tal cosa* should be noted. They have several possible English translations according to whether the ellipsis is of a preceding verb (usually *ser*) or of a following subordinate verb, or both:

—Mire que le llevo dando palos, ¡pues como si nada! [=*es como si no hiciera nada*]. (C. J. C.)
... *but it's useless.*

—Le voy a decir una cosa que quizá no sepa... Usted lo sabe, pero como si nada... ¿Eh? (C. J. C.)
... *act as if you didn't know. OK?*

—Le sacó el reloj del bolsillo como si tal cosa. (Moliner)
... *very easily/... as if it were child's play.*

* REPLACEMENT OF VERB FORMS BY STEREOTYPES

***4.10** There are three colloquial types of replacement of either the finite verb or of the present participle of a progressive tense by stereotyped forms. All are used to indicate a particular intensity with which an action is carried out.

***4.11** To indicate the intensity of duration of an action in the present or past, a pattern consisting of the second person singular imperative form followed by *que* and either a repetition of the same verb form or the second person singular of the future tense may replace a present participle or, less frequently, a complete present or past tense. The pattern, which also allows the optional inclusion of the pronouns *te* or *le* before the second verb form and, in American Spanish, the replacement of *que* by *y*, can be more clearly described in a schematic way, using *esperar* as a model verb:

(*está/estaba*, etc.) {
espera que (te) espera;
espera que (te/le) esperarás;
espera y espera (Am. Sp.).

Very often the exclamatory form *dale* (and occasionally the formula *erre que erre*) is used as a stereotype representing some other verb. Here the patterns possible are:

(*está/estaba*, etc.) {
dale que dale;
dale y dale (Am. Sp.);
dale que le das;
dale que te/le darás;
dale que te pego.

A suitable English translation must indicate the insistent nature of the action (e. g. *He waited and waited; He kept on waiting; He tried for all he was worth).*

Examples where the pattern replaces a present participle, with *estar* (or with ellipsis of *estar*), equivalents of *estar*, and other main verbs:

—Estaba espera que te espera, a ver si vendría, y no vino. (Beinhauer, 291)
I waited and waited to see if he would come, but he didn't.

—El padre Nones estaba de rodillas, reza que te reza. (B. P. G.)
Father Nones was kneeling down, praying for all he was worth.

—Se había quedado mira que te mira. (J. Corrales Egea)
He had stood there staring hard.

—Tengo pena por la perra Malpapeada, que anoche estuvo llora y llora. (M. V. L.)

—Las ocho ya. ¡Válgame! Y yo aquí habla y habla. (R. Usigli, *Mex.*)
Eight o'clock already! Good heavens! And here am I going on and on!/... talking my head off!

—Yo me paso todo el día trabaja que trabaja, y tú al menor descuido sales de cotilleo. (A. Paso)
I spend the whole day working hard and as soon as my back's turned you go out for a gossip.

—Entre las dos hermanitas me han tenido a mí lo mejor de mi vida con un dogal al cuello, aprieta que te apretarás. (B. P. G.)
The two sisters have had a rope around my neck for most of my life, tightening it for all they were worth.

In the following two examples, the stereotype refers to past action:

—Lo que ruedan estas monedas. Se me cayó una en la Cibeles y corre que te corre. (A. Paso)
How these coins roll! I dropped one in Cibeles Square and I had to run fast to catch up with it (or ... *and it rolled and rolled.*)

—Y después ha empezado con lo de siempre... Y yo sin chistar, como me ha aconsejado don Carlos, pero ella, dale y dale. (E. Barrios, *Chile*)
And then she brought up the usual complaints. I didn't say a word, as Don Carlos advised me, but she just went on and on.

*NOTE

For the exclamatory function of *dale que dale*, see 2.25.5; for *dale con*, see 3.6.1.

***4.12** A further stereotyped way of indicating persistent action in the present or past is by using the patterns *venga (a)* + infinitive, or, less frequently, *venga de* + infinitive. Although these occur as replacements for a present participle, they are more usually found as equivalents for a past or present tense according to context.

—Estaba venga a mirarme, y yo no decía nada. (Moliner)
He kept on staring at me and I didn't say anything.

—El camarero, venga a traernos botellas, y nosotros, venga a beber.
(R. Fente Gómez *et al*, 1972b, 65)

The waiter kept bringing us bottles and we just kept on drinking.

Cuando hablaba desde el púlpito, solía ponerse muy nervioso:
—Venga a enseñar brazos, piernas, hombros... y otras cosas que no quiero mencionar por respeto a esta santa casa. (Mercedes Salisachs)
You go around all the time with bare arms, bare legs, shoulders... and other parts which I prefer not to mention out of respect for the House of God.

—Y yo trabajaba mucho. ¡Venga a coser! ¡Venga a coser! (M. M.)

—Bueno, pues tú, venga de tirarle de la lengua, con que si ganaba mucho o poco, calentándole la cabeza. (M. D.)

NOTES

1. Occasionally, to indicate the existence of a large quantity of objects *vengan* + plural noun is used:

   —Y por detrás vengan rascacielos y una avenida que no se la salta un torero. (M. D.)
   And behind there were masses of skyscrapers and a fantastically wide avenue.

   (However, for a different use of *vengan* + plural noun, see 2.25.4 note 1.)

2. The close equivalence of the verbal patterns described in 4.11 and in this section is well illustrated by the following example (taken from a play by S. and J. Álvarez Quintero) quoted by W. Beinhauer (p. 54). (The absence of *a* after *venga* may simply reflect its assimilation in speech by the last vowel of the verb form):

   —La coge la criada y llora que te llora..., la coge su hermana mayor y venga llorar y venga llorar.
   The maid picked her up and she bawled her head off. Her elder sister picked her up and she kept on bawling her head off.

***4.13** The third type of replacement of a verb form by a stereotype is *mucho* + infinitive, or, less frequently, *mucho* + noun, or *tanto* + noun or infinitive. Since these structures are usually followed by a contrasting *pero* or *y* clause, and in other cases a *pero* link is implicit in the sentence, the general effect of the pattern is that of a concessive sentence, usually of a critical or complaining kind. The time reference is frequently to a generalized or habitual present. Possible English translations are: *You may... a lot, but...; It's all very well to..., but...*

—Mucho hablar de negocios, pero apuesto a que entre todos no tenemos dinero para jugarnos una quiniela. (A. M. de Lera)
This talk about business deals is all very well, but I bet that between us we haven't got enough money to have a bet on the football results.

—... que mucho predicar tolerancia y después hacéis lo que os da la realísima gana... (M. D.)
You talk a lot about the need for tolerance, but then you go and do whatever you damn well like.

—Mucho criticar a la Silvia por lo de las cartas, y mucho amenazar al Nando, pero en cuanto nadie lo ve, allí está él a que le lean el porvenir.
(Mercedes Salisachs)
He likes criticizing Silvia for going to the fortune teller and he likes threatening Nando, but as soon as no one is looking he goes off and gets his own fortune told.

—Mucho ruido y pocas nueces.
Much ado about nothing.

Mucha plancha en la ropa, pero los trajes les caían flojos y sin gracia.
(J. L. C.-P.)
In spite of all the ironing, their suits were baggy and far from smart.

—¡Qué tontos sois los hombres, y tú, el más tonto de todos! Tanto hablar de él, tanto ponerle verde a sus espaldas y, cuando vas a su casa, con dos palabras y un cigarro os engatusa. (J. F. S.)
You men are so stupid, and you're the stupidest of the lot. After all your talk and criticism of him behind his back, as soon as you go to his house, he gets you round his little finger with a few words and a cigarette.

—Tanto trabajo y esta noche vendrán los barrenderos y se acabó.
(J. Cortázar, *Arg.*)
All that work and tonight the street cleaners will come along and sweep it all away.

REPLACEMENT OF INTRODUCTORY VERBS

4.14 Also common as colloquial sentence structures and serving to reflect the speaker's feelings, are those in which an introductory standard 'personal' verb of belief, judgment, or emotion (e. g. *Supongo que, No sé si, Espero que, Me alegro de que,* etc.) or a so-called impersonal verb or verbal expression denoting an opinion or a qualified belief (e. g. *Es posible que, Parece que,* etc.) is replaced by other elements. The replacement of these introductory verbs by adverbial and other expressions, although resulting in a different 'shape' to such sentences, can be seen as offering further colloquial alternatives for the expression of such subjective needs as tenuous or qualified belief, hope, doubt, certainty, relief, advising, and warning.

NOTE

For other colloquial alternatives for introductory verbs of belief and emotion, see 4.25-4.28.

4.15 Apart from other more literal uses of *a ver si* (i. e. as a variant for *vamos a ver si* and *para ver si*), the construction is very commonly used to introduce speculations on the part of the speaker. Many nuances of meaning are possible but all of them are connected with some form or combination of hoping, wondering, doubting, fearing, and, particularly if the following verb is addressed directly to the listener, suggesting. The tone conveyed may sometimes be impatient or indignant. In view of the wide scope covered by this construction, a variety of English translations are possible, including:

I wonder, I hope, Perhaps, May, I suggest, Why don't you...?, and even *I doubt whether.*

For convenience, the examples that follow are grouped according to the ending of the verb.

First person form:

—A ver si llegamos a tiempo.
I wonder if we'll arrive in time.

—Entonces, mañana daremos otra vuelta a ver si encontramos otra cosa que te guste más. (M. M.)

(This is very close to the literal meaning of *'in order to see if'*, but there is still an implied *'perhaps'*.)

—¡Vamos!, ¡a ver si nos quedamos aquí todo el día! (F. Díaz-Plaja)

(Here, the speaker is a driver impatiently waiting for the traffic signals to change):

Really! I hope we're not going to be stuck here all day!

Third person form:

—A ver si es verdad que sabe tanto como quiere saber. (R. S. F.)
I wonder...

—A ver si llueve de una vez.
—¡Ya es hora! (A. M. de Lera)
«*Perhaps it'll hurry up and rain.*»
«*It's about time!*»

—A ver si te oye alguien.
—Me tiene sin cuidado. (J. L. C.-P.)
«*Careful, someone may hear you.*»
«*I don't care if they do.*»

—Díselo a tus padres cuando vayas a tu casa, a ver si la quieren cambiar... (J. A. de Z.)
... they may want to change it.

Second person form:

—A ver si esta tarde te dejas caer un rato por aquí. (R. S. F.)
Why don't you come round here for a while this afternoon?

—He hecho el idiota, he hecho el idiota. A ver si escarmientas de una vez, hombre. (A. M. de Lera)
I've been so stupid! Perhaps that will teach you a lesson! (The man is talking to himself.)

—A ver si os hacéis daño. (overheard in Madrid)
Mind you don't get hurt.

—¡A ver si se cree que yo no tengo tanta prisa como usted por llegar a casa antes de que empiece...! (*Ya*, 23-3-73)
I suppose you think...!/I hope you don't think.../You surely don't think...

NOTE

Similar in function are sentences beginning with *a ver* + interrogative word (especially *qué* and *cuándo*). (See also 4.8.2.)

—A ver qué dice ese señor inglés sobre la merienda.
Requirieron el libro. (J. A. de Z.)
I wonder what.../Let's see what...

—Vas al pueblo, ¿no? A ver qué dicen por allí.
—¿De la mujer muerta?
—Pregunta a Raimundo. (J. G. H.)

—Desde la última huelga de metalúrgicos la gente se sindica a toda prisa. A ver cuándo nos imitáis los dependientes. (A. B. V.)
Since the last strike by the metalworkers, people have been rushing to join the unions. When are you white-collar workers going to follow our example/Why don't you...?

4.16 As equivalents for the verbal expression *es posible que*, standard Spanish has *quizá, quizás, tal vez*, and *acaso*. Particularly colloquial, however, are the forms *a lo mejor, igual*, and *lo mismo*. Moreover, unlike the standard equivalents, which may be followed by either an indicative or a subjunctive verb form, these three colloquial variants are *only* followed by the indicative.

NOTE

Other colloquial verbal equivalents of *es posible que* are *puede que* and *pudiera ser que*. As responses, *pueda ser* and *pudiera ser* are found.

—Puede que la acompañe. (A. B. V.)

—¿Cuándo vinimos?
—Serían las tres..., o puede que las cuatro. (A. Sastre)

—Sé bien que mi nombre, en las historias de estas tierras segovianas, ocupará no más que un minúsculo rinconcillo, pudiera ser incluso en letra pequeña y a pie de página. (C. J. C.)

—Quizá venga mañana.
—Pueda ser.

4.16.1 *A lo mejor (perhaps; maybe)* is the most frequent of the colloquial replacements for introductory verbal expressions of possibility.

—A lo mejor iré mañana.

—A lo mejor no lo saben todavía.

—¿Volverán pronto?
—A lo mejor.

***4.16.2** The special use of *igual* and *lo mismo* to indicate possibilities derives from their use as colloquial equivalents of coordinating devices (see 5.24.3 and note). A suitable rendering of these verbal replacements will usually include one of the forms *may, might,* or *perhaps.*

—Igual se va mañana. (J. Polo, 1969, 58)
He may go tomorrow.

—Luego éste igual no la sabe apreciar. (R. S. F.)
And then he may not be able to appreciate it.

—La verdad es que si te viera todos los días..., no sé..., igual acabaría despreciándote. (J. A. de Z.)
...I might end up despising you.

—Lo mismo no te contesta. (overheard in Madrid)
He may not answer you (either).

(Two homosexuals in a police cell are discussing their plight):

—Oye, ¿por qué nos tendrán aquí?...
—Es que, chico, lo mismo nos van a dar. (C. J. C.)
«Why do you suppose they're keeping us in here?»
«Well, love, they may be going to beat us up.»

4.17 Other colloquial equivalents of standard introductory verbal expressions of assumption, deduction, and qualified belief (e. g. *Parece que, (No) Es probable que, (No) Creo que*) are as follows:

Por lo visto. *Se conoce que.* *Está visto que.* *A lo que se ve.*	*Apparently; obviously* (deduction); *presumably.*
Que yo sepa. *Que sepamos.*	*To the best of my/our knowledge; As far as I/we know.*

Que se sepa.	*As far as is known.*
Que yo recuerde.	*As far as I can remember.*
Es fácil que. *(Es) Capaz (que) (Am. Sp.)*	*Probably; It's likely that.*
Es difícil que/Difícilmente.	*It's unlikely that.*
Malo será/sería que no...	*I'd be surprised if...*

Examples:

—Por lo visto, para ti la vida no es más que esto. (J. A. de Z.)

—La muchacha, por lo visto, solía ir a salones de pintura. (E. Sábato, *Arg.*)

—El fotógrafo no está en casa.
—Se conoce que no. (P. Baroja)

—Está visto que, tal como está el mundo, uno no puede vivir su vida. (M. D.)

—A lo que se ve, no pudo salir.

—Que yo sepa, no han recibido ninguna contestación.
—Pues no, nuevos no hay, al menos que se sepa. (J. F. S.)

—Que yo recuerde, nadie lo ha pedido.
—Capaz que llueva en seguida. (C. E. Kany, 421)

—Entendernos no podemos, amigo. Pero si es asunto de negocios, podemos capaz, acordar algo. (J. M. Arguedas, *Peru*)

—¿No nos hemos visto en ningún otro lado?
—Es difícil que lo hayas visto, Mariví. Sebastián no va al cine, no va al teatro, no va a cafés, no va a bailar. (M. M.)

—Según ella, agrada como peina, y como fija unos precios arreglados, malo sería que no se haga una parroquia. (M. D.)
According to her, women like the way she does their hair and since her prices are reasonable, I'd be surprised if she doesn't get a nice lot of customers.

NOTE

The expression *Para mí, que* (or *Para mí que*) is equivalent to standard *Yo creo que* (I *think/reckon that...*):

—Y para mí, que fue Elvirita quien se lo pidió a su padre. (A. B. V.)

4.18 Common colloquial equivalents for introductory verbs indicating certainty or near certainty are *Claro que* (see also 2.11.1), *Seguro que*, and *Seguramente (que)*. In addition, there is the introductory expression *¿A que?*, which corresponds to English *I bet...* or *How much do you bet that...?* The verbless responses *¿A que sí?* and *¿A que no?* refer back to the verb in the preceding sentence and are best translated by stressed auxiliary verbs (e. g. *I bet he* DID/IS, etc.; *I bet he* DIDN'T/ISN'T, etc.).

—Claro que te daré lo que pueda, pero tendrás que ahorrar mucho.
Naturally, I'll give you what I can, but you'll have to save hard.

—Pero ¿quién dijo eso? Seguramente que fue Valentina.
(G. Casaccia, *Paraguay*)

—¿A que sé cómo te llamas? Lo he soñado esta noche... (A. M. de Lera)

—¿A que no sabéis cuántos resultados?
—¿Trece?
—¡Catorce! (L. Olmo)

—No lo sabes.
—¿A que sí?

*NOTES

1. The interrogative punctuation which always accompanies written versions of *¿a que?* seems to reflect the origin of this structure, whether it is from *¿Cuánto va a que...?* (Beinhauer, p. 319) or from the pattern *¿Qué te apuestas a que...?* (Moliner, I, p. 2).
2. For *¿a que sí?* as an adjunct, see 1.16.

4.19 Two other colloquial types of alternatives for introductory verbs of emotion and judgment are worth noting. The first group expresses happiness, relief, or sorrow (4.19.1), and the second, mainly used in American Spanish, indicates the advisability of a course of action and may also function as a variant for the imperative (4.19.2). An additional feature of interest is that after these expressions the indicative is either required or optional. (See 4.31.)

4.19.1

Menos mal que. *Afortunadamente.* *Por suerte que.* *¡Qué suerte que!* *Gracias a Dios que.*	*Fortunately.* *Thank goodness.* *It's a good job (that).*
Desafortunadamente. *Desgraciadamente.* *Por desgracia.* *¡Qué lástima que!* *¡Qué pena que!*	*Unfortunately.* *What a pity (that).*

Examples:

—... Ayer no tenía gasolina y me acerqué a pedirle. Menos mal que fue poco tiempo, pero no me dejó ni respirar durante su discurso. (J. G. H.)

—Le tuve que prometer. Me arrancó la palabra. Por suerte que no se trata de una gran cuota. Ocho pesos y centavos. (E. Barrios, *Chile*)

—Iré yo —dijo Amalia, sonriendo con esfuerzo.
—¡Gracias a Dios que veo una sonrisa! (J. Mármol, *Arg.*)

—Ah, qué suerte que vino, señor Budiño. (M. Benedetti, *Urug.*)

4.19.2 The American Spanish use of *mejor* followed by the indicative, subjunctive, or the imperative in the constructions shown below corresponds to *better* (e. g. *I('d) better go now), Why don't you...?*, or an imperative:

Mejor me voy.	Mejor vete.
Mejor me vaya.	Mejor se vaya (usted).
Mejor nos vamos.	Mejor que te vayas.
Mejor nos vayamos.	Mejor que no te vea.

Examples:

—Mejor sales del cuarto hasta que votemos. (M. V. L.)
You('d) better leave the room until we've voted.

—No le oigas [=*escuches*] a tu madre; va a exagerarlo todo.
—¡Tú, mejor te callas! (E. Wolff, *Chile*)
You('d) better shut up!

—Así que mejor no intervenga. No nos gusta que se hable de nosotros.
(J. Rulfo, *Mex.*)

—Está durmiendo... Mejor que lo dejés [*vos*]. (E. Sábato, *Arg.*)

—Mejor averigüemos de una vez qué les pasó —dijo Santiago—. Voy a llamar por teléfono. (M. V. L.)

VARIATION IN PRONOUN AND VERB FORM USAGE

4.20 Certain colloquial features of pronoun usage are different from those of standard Spanish. Most variance centres around ways of referring to the first person and to the general second or third person (i. e. *you, one*).

NOTE

A distinctive morphological feature of the speech of Argentina, Uruguay, and some other areas of Latin America is the use of the pronoun *vos* instead of *tú*. In the present indicative, present subjunctive and in the imperative, the accompanying verb forms (which vary slightly from area to area) are different from the *tú* forms in accentuation and/or form. A few examples of some common verbs:

Present indicative: *vos cantás, vos volvés, vos sos* [*...tú eres*].
Present subjunctive: *vos cantés, vos volvás.*
Imperative: *cantá, no cantés; volvé, no volvás; respondé, abrí, decí, callate, sentate.*

4.20.1 In familiar and popular speech, both *uno* and *una* may be used to refer to the speaker or to a general subject *(you, one)*. *Uno* is sometimes used for *one* or *you* in standard Spanish, but usually with verbs which *require* the use of reflexive pronouns and which do not therefore admit the *se* + verb construction for this meaning (cf. *Se hace lo que se puede, 'One does what one can'*, and *Uno se pregunta por qué lo hizo, 'One wonders why he did it'*).

—Ni el día de su cumpleaños puede una disponer de su propio cuarto para recibir a las amistades como Dios manda. (J. Marsé)
I can't have my own room even on my birthday to entertain my friends properly.

—¿Qué piensas tú de eso?
—¡Señora! ¿Qué va a pensar una? (V. R. I.)
What can I think?/What is one to think?

—Aquí comemos mal, pero algo comemos. Y uno le tiene cariño a la tierra; no sé por qué, porque no vale nada, es la verdad. (R. Carnicer)

4.20.2 More widespread through social groups is the familiar use of the second person singular subject pronoun and/or its verb form to refer to a general or vague personal subject. In more formal or cultured speech and in writing, the change must be made to a standard form (e. g. the *se* + verb construction mentioned in 4.20.1) since the use of *tú* for *one* is considered inappropriate in these contexts. In these contexts, the colloquial use of the pronoun *te* for similar purposes is also considered inappropriate and is avoided.

—Si te dejas pisar, estás perdido. (Moliner)
If you let them take advantage of you, you're lost.

—En las Jurdes [=*Hurdes*] no se puede vivir de otra manera: o trabajas como una bestia o hay que salir a pedir limosna por Castilla. (C. R., 213)

—Cuando yo era joven... la merluza era cosa muy barata, y ahora te cuesta los ojos de la cara.
—Y cada día te la suben cinco céntimos. (M. Gorosch, 1967, 20)

***4.20.3** Occasionally the pronoun *se* and the third person singular verb form are used in colloquial language as variants for the first person singular (to express thanks) and for the second person forms (to express reprimands and congratulations).

—Tome usted un cigarro.
—Se estima. (Seco, 306)

—Eso no se dice/hace.
You shouldn't say/do that.

—¡Así se baila!
That's the way to dance!

—Ahora recuerdo que el lunes me dijo que había comprado una pistola...
—Eso, se avisa. (J. López Rubio)
You should have told me.

***4.20.4** Although perhaps more of a lexical matter, it may be of use to point out some of the jocular or humble popular third person replacements for *yo* (cf. *yours truly*): *un/este cristiano; este cura; mi menda; un(a) servidor(a); este servidor, esta servidora.*

> —Si yo no me equivoco, usted es el caballero que va a Silván.
> —Sí, señor.
> —Pues un servidor es el voluntario que irá en su compañía. (R. Carnicer)

> —¿Quién lo comanda y quiénes lo integran...?
> —Lo comanda este cristiano y van conmigo Coca, Pichuza y Sandra. (M. V. L.)

*NOTES

1. The deferential responses *servidor(a) de usted* translates as *Yes, sir.*
2. Among other instances of colloquial pronoun replacements, are the use of *Dios, un cristiano,* and the ironic *cualquiera* (see 3.13) for *nadie:*

> —No hay Dios que lo entienda.
> —No hay cristiano que aguante eso.

4.20.5 A further colloquial characteristic associated with pronoun usage, although not affecting the basic form of the verb, is the frequent use of additional 'reflexive' pronouns with most common verbs, both transitive and intransitive, independently of any normal reflexive variant that may exist (e. g. *ir* and *irse*), to indicate some particular subjective involvement with the action which is often not translatable into English. Although particularly frequent with verbs of movement (e. g. *bajarse, caerse, irse, llegarse, salirse, subirse, venirse, volverse*), the use of this additional pronoun is also found with most other common verbs (e. g. *aprenderse, beberse, buscarse, comerse, creerse, decirse, dejarse de, encontrarse, esperarse* —usually in the imperative—, *estarse='to stay', ganarse, gastarse, inventarse, leerse, merecerse, morirse, olvidarse, pararse, pasarse, perderse, proponerse, quedarse, saberse, suponerse, temerse, tomarse, traerse, tragarse).*

A few examples will illustrate this common colloquial usage. Both those that follow and those included at the end of the chapter are for study and translation.

1. Se lo bebió todo.
2. —¡Cuidado! Te vas a caer.
3. —Cómetelo.
4. —Se cree que le van a ayudar.
5. —Les he visto crecer a los dos y sé lo que me digo. (A. B. V.)
6. —¡Déjate de tonterías!

7. —Fui por Las Vegas y me llegué al puesto de café y me encontré con Laserie. (G. Cabrera Infante, *Cuba*)
8. —Espérese. Voy a abrir el balcón. Así las verá usted mejor. (M. M.)
9. —¡Ya lo creo que viene! Todas las noches. Se está hasta las tantas. (J. F. S.)
10. —¿Por qué no te vas de compras al pueblo? (J. G. H.)
11. —Me he gastado más de cien pesos.
12. —No tiene ninguna necesidad de inventarse una mentira que no le sirve para nada. (J. Marsé)
13. —El año pasado se murió su padre.
14. —Ese hombre se pasa la vida trabajando.
15. —... no he salido ni un día de pesca. Tampoco creo que me haya perdido nada. (J. G. H.)
16. Se sabía todos los pueblos de León, Castilla la Vieja, Castilla la Nueva y parte de Valencia... (C. J. C.)
17. —Pero ¿por qué te subes a los árboles? (J. G. H.)
18. —Además, me temo que no hace tiempo de playa. (J. G. H.)
19. —Te lo tenías muy callado.
20. —¿Por qué no te tomas unas vacaciones?
21. —¿Te vienes en el Metro hasta Iglesia?
    —Pues, claro. Te acompaño. (F. Umbral)
22. —¿Le da miedo volverse sola? (J. G. H.)

TENSE VARIATION

4.21 The specific colloquial use of certain tenses as equivalents of, or replacements for, other tenses is a large and important topic, not least from the point of view of comprehension. The simplest way of presenting these multiple uses is to start with the tense form and illustrate its specifically colloquial functions. In sections 4.22-4.28, we shall therefore be examining colloquial uses of the present tense, the present progressive, the imperfect, the future and related tenses (i. e. conditional, future perfect, and conditional perfect) and, finally, those tenses of the verbs *ir a* and *haber de* which have particular colloquial functions.

4.22.1 The present tense forms are very frequently used to refer to future events, with or without a specific time reference in the sentence itself. Since this is one of the best known and documented characteristics of this tense, no great amount of exemplification is necessary here.

—Pero tú no te preocupes, que yo encuentro trabajo.
—Pues claro que lo encuentras. Resistiremos una vez más las calamidades y saldremos a flote como siempre. (A. Sastre)

—Dame a mí. Yo lo hago, verás. (R. S. F.)

4.22.2 The present tense is also used in questions and statements to indicate a suggestion, a request, instructions, or an order. The inclusion of a subject pronoun often adds a brusque, impolite, or peremptory tone to the sentence.

—¿Abro la ventana?
Shall I open the window?

—¿Me pone un café, por favor?
A coffee, please.

—Pedro, ¿quieres callarte? (A. Sastre)
Pedro, will you please shut up?

—Escucha..., si la pensión de tu madre no te llega, nos lo dices.
—Bueno.
—Pero dínoslo. (J. F. S.)

—Pero no se preocupe. No tenemos prisa.
—De todos modos, si pasa algo, se asoma a la ventana de la cocina y da un grito.
—Descuide. Daré todos los gritos que sean necesarios. (M. M.)

Amigo: —Es cierto, señora.
Frida: —Usted se calla.
Crock: —Frida...
Frida: —Y tú también te callas. (C. Muñiz)

4.22.3 As in English, the present tense may be used as a popular or 'gossipy' narrative past tense. In this sort of usage, the narrative, whether in the past or present tenses, may be reinforced by the addition of *va y/fue y; coge y/cogió y,* and *agarra y* (mainly in Argentina), which are more or less equivalent to English *go* in *'And she goes (and says)...'*

—Pues al oírle me dio como un calambre y la silla que se me cae de las manos. (J. Corrales Egea)
Well, when I heard him I got a sort of shock and I dropped the chair I was carrying.

—Entonces llegan esos dos detectives y me asustan y me revuelven el cuarto. (R. Marqués, *P. Rico*)

—Me cuentan lo que sucedía, y entonces agarro y salgo a la calle. (Seco, 19)

—Va y me dice que le ayude. (Moliner)

—¡Ella que va y me da dos pesetas pa [=*para*] traer aceite, y voy y las pierdo! (Keniston, 203)

4.22.4 The following are idiomatic colloquial uses of the present tense:

a) After *por poco ('almost')* as a variant for *casi* accompanied by the past (preterite) tense:

—Por poco me aplasta. (Beinhauer, 297)
He almost squashed me.

b) The present tense of *llevar,* when followed by a time expression and either a present or past participle or *sin*+infinitive, is a variant for the constructions *hace+time expression+present tense* and *present tense+desde hace+time expression.* English translations: *I have been -ing/-ed for (two years),* or *I haven't -ed for (two years).*

—Lleva muchos años viviendo en Sevilla.
He's been living in Seville for many years.

—Llevo año y medio encerrada en una jaula como si fuera una rata. (H. Quiroga, *Urug.*)
I've been shut up in a cage for eighteen months as if I was an animal.

—Tengo ganas de dormir. Llevo tres días sin desnudarme. (R. J. Sender)
I want to sleep. I haven't taken my clothes off for three days.

NOTE

An idiomatic use of the present tense of the verb *venir* often replaces a past tense:

—Hola, Pablo. Aquí estoy. Vengo a charlar contigo. (A. Sastre)

4.22.5 In conditional *(if)* sentences, the present tense may be used colloquially as a replacement for both tenses in standard sequences of the type *Si lo hubiera sabido no habría venido,* or as a replacement for the main verb in sequences of the type *De haberlo sabido no habría venido.* Less frequently, a present tense may replace both tenses in sequences of the type *Si tuviera dinero iría.* Such simplifications of the tense system have been seen by some commentators as inspired by a desire for more vividness or greater dramatic effect in dialogue. Obviously, accurate comprehension and translation of such tense usage, which alters the explicit time references, will depend on other information present (e. g. adverbial expressions of time), or on the context.

—Si lo llego a saber en aquel momento, me muero. (L. Olmo)
If I'd found out at that time, I'd have died.

Al final [*de la carta*] lloraban el padre y el hijo.
—Si sé, no os la leo —les anunció la madre. (J. A. de Z.)
If I'd known, I wouldn't have read it to you.

—Cuando la guerra, si no anda listo, le dan dos tiros el primer día, cuando bajaron los asturianos. (J. F. S.)
...if he hadn't had his wits about him, they'd have executed him on the spot...

—De haberlo sabido, no me caso.

—Una guerra es una guerra, y en las guerras esas cosas no tienen importancia; peor hubiera sido si le llevan un brazo o un pie. (J. A. de Z.)
...he'd have been worse off if he had lost an arm or a leg.

—Burgos, que es la cabeza de Castilla, si lo ve usted ya no lo conoce. (J. A. de Z.)
If you were to see Burgos, which is the capital of Castile, you just wouldn't recognize it any more.

*4.23 Present progressive tense

***4.23.1** Preceded by *ya,* the present progressive tense may be a brusque alternative for the imperative.

—Y tú, so pasmado, ya estás yendo por el periódico. (C. J. C.)
And you can clear off and fetch the paper at once, you fool.

—Ya te estás largando —continuó el camarero. (J. L. C.-P.)
On your way with you...

*Note

The form *andando* is used alone with a similar intention *(On your way, then/Let's be off):*

—De parte del párroco, que vaya a verle en seguida que pueda.
—¡Andando! (J. A. de Z.)

***4.23.2** Also preceded by *ya,* this tense may indicate disapproval of a habitual action. English: *He's always -ing; He immediately...*

—En cuanto se muere, se casa o se pone malo alguno de los de arriba de este Ayuntamiento, ya está don Prudencio escribiéndole una carta. (J. F. S.)
As soon as any of the important members of the Town Council dies, gets married, or falls ill, Don Prudencio immediately dashes off a letter.

***4.23.3** With verbs of perception (in particular with *ver*), the present progressive tense is used as an emphatic or inceptive form of the present *(I can* SEE; *I'm beginning to see).*

—... no sabe usted lo mala que soy.
—Sí, sí; ya estoy viendo que no somos una perfección. (B. P. G.)

4.24 Imperfect tense

The principal variant uses of the imperfect tense in colloquial Spanish are as equivalents of the conditional, the conditional perfect, and other compound tenses.

4.24.1 In conditional sentences of the type *Si tuviera dinero lo compraría,* the imperfect frequently replaces the conditional main verb, but, unlike the present tense, it does not replace the subordinate verb.

—¡Si yo fuera secretario de este ayuntamiento, le echaba del pueblo! (J. F. S.)

—Si tuviera dinero se lo compraba. (C. Muñiz)

—Si de mí dependiese, usted y su novio se casaban mañana mismo. (C. J. C.)

This replacement may still take place when the sentence contains an adverbial expression equivalent to a *si*-clause:

—Yo en tu lugar no le aguantaba semejante grosería. (Keniston, 185)
If I were you, I wouldn't allow him to be so rude to me.

***4.24.2** The imperfect tense of the verbal periphrases or modal auxiliary verbs *deber (de), tener que,* and, particularly, *poder,* may be used as colloquial alternatives for the conditional tense of these verbs and for the compound tenses *debería haber (ido), podría haber (ido),* and *tendría que haber (ido).* Other colloquial alternatives for these compound tenses consist of the imperfect of these verbs followed by a perfect infinitive (i.e. *podía haber llamado*).

—Ya podías llamar, chiquillo, que me has asustado. (D. Sueiro)
But you could have called me, you know. You gave me a scare.

—¿Por qué no quiere que vayamos a ver a otro médico?
—Nada. Esto no tiene arreglo; es de la edad... y de las desilusiones.
—¡Tonterías! Podíamos probar... (A. B. V.)
Rubbish! We could try.

—No debía consentir eso. (Moliner)
He shouldn't (have) allow(ed) that.

—Yo tengo hambre...; creo que debíamos de ir pensando en comer. (R. S. F.)
I'm hungry. I think we should start thinking about having something to eat.

—Ella tenía que ser más comprensiva. (Moliner)
She should have been more understanding.

***4.24.3** The imperfect may also be used as a variant for the conditional tense outside the categories described in the preceding sections. In the first example below, the imperfect is merely the reported version of a present tense with future reference. In some other cases, a condition or hypothesis may simply be implied.

—Charlaban de vosotros y me dijeron que, a lo mejor, se acercaban a veros.
... perhaps they would drop by and see you.

—Valías para modelo. (R. S. F.)
You could be a model.

—Mira, yo soy mejor de lo que crees. Hasta de dejarte con la Tere era yo capaz. (A. B. V.)
I'd even be capable of leaving you with Tere [if I had to].

—Otro Santo Oficio es lo que hacía falta para limpiar el país de esa contaminación. (*Esbozo*, 468)
It would need another Holy Inquisition to rid the country of this contamination.

***4.24.4** The following idiomatic uses of the imperfect are associated with specific verbs or patterns:

The imperfect of *llevar*, when followed by a time expression and a present or past participle, or *sin* + infinitive, is a variant for the constructions *hacía* + time expression + *que* + verb and verb + *desde hacía* + time expression (e. g. *Estudiaba el español desde hacía tres años*). (See also 4.22.4.)

—Ya llevaba seis años estudiando la materia.
He had already been studying the subject for six years.

Llevaba dos días sin dormir.
He hadn't slept for two days.

Decía (usually preceded by emphatic *ya* and to be translated as *I* THOUGHT... or *I* TOLD *you*) and *venía* may replace the perfect or preterite tenses of these verbs.

—Nos vamos en seguida. Precisamente venía a recoger la silla, porque aquí no la voy a dejar durante la noche. (A. B. V.)

—¡Mauricio! Me alegro de verlo. Pase, pase.
—Venía sólo a preguntarte si... (R. Usigli, *Mex.*)

—Ya te decía que era mejor dejar todas esas cosas. (C. Muñiz)

—Ya decía yo que no era su hermana.

Quería and *deseaba* are used deferentially as alternatives for the present tense (cf. the similar function of *querría, quisiera,* and *desearía*):

—Quería preguntarle si me podría dejar mil pesetas.

—¿Qué deseaba usted?

The future, conditional, future perfect, and conditional perfect tenses are commonly used to express questions and suppositions relating to the present and past. The system of time references is as follows:

— future tense refers to present or vague general time;
— conditional tense refers to past time;
— future perfect tense refers to past time related to the present (English perfect tense);
— conditional perfect tense refers to reported or remote past time.

4.25.1 In questions these tenses express the speaker's direct or indirect (i. e. reported) curiosity towards present, past, or timeless events. Where an interrogative word is present in a direct question, the English translation will very often begin with *I wonder*. In the case of other direct or reported questions, the translation will often include one of the forms *can, could, may* or *might*.

—¿Qué se sentirá cuando cortan un dedo?
—No se siente nada, sólo le duele a uno. (J. F. S.)
I wonder what you feel...

—¿Por qué no me atropellaría a mí en vez de ella ese autobús maldito? (J. A. de Z.)
Why didn't that wretched bus run me over instead of her?

—¿Por qué le habremos dado el dinero?
Why did we give him the money?

—¿Qué habría ido a hacer tan temprano...? (C. Maggi, *Urug.*)
I wonder what he can have intended to do so early?

—¿Será posible que yo... haya heredado tan inmenso caudal? (Ramsey, 340)
Can it be possible that I have inherited such a fortune?

—No sé lo que ella iría [=*estaría*] pensando. (A. M. de Lera)
I don't know what she could have been thinking about.

—No se sabe lo que pasará allí. (M. V. L.)

... que yo no sé si serían celos o qué. (M. D.)

... a veces me asusto y pienso si no será una enfermedad. (M. V. L.)
... sometimes it alarms me and I wonder if it may be an illness.

*NOTE

Occasionally the interrogative pattern *¿si?* + future (or conditional, if reported) is found (see also 3.18):

—¿Si será verdad que ha heredado? (Moliner)

—... no puede ser militar —repitió el hermano—. ¿Si será contrabandista? (R. M. Macandrew, 67)
... I wonder if it's a smuggler.

4.25.2 The same tenses are used to indicate conjecture, supposition, or statements of qualified belief (which may function as cautious or approximate answers to the question patterns just described). Not infrequently, such sentences may contain, either before or after these verb forms, a verb of supposition, an adjunct like *(vamos) digo yo* (see 1.14.2), or an adverb like *seguramente* (see 4.18). For translation, possible equivalents are varied: *probably, I imagine, I assume, I suppose, must, approximately,* etc.

—¿Qué hora será?
—Serán las dos.
«*I wonder what time it is.*»
«*It must be about two.*»

—Serían las tres cuando llegamos.
It must have been about three o'clock when we arrived.

—Me desaparecieron diez mil pesetas.
—Las perderías. (A. Sastre)
You must have lost them/You probably lost them.

—Ya habrás descubierto sus defectos.
I imagine you've already found out his faults.

—Supongo que Zavala estará con usted y que ya le habrá explicado que todo depende de usted. (M. V. L.)

—No me preguntes, papá, no me preguntes.
—Porque alguna razón habréis tenido, digo yo. (V. R. I.)
You must have had SOME *reason, I imagine.*

—¿Quién es?
—Es un vaquero amigo de Pascual; nos vería subir ayer y vendrá a ver quién está enfermo. (J. F. S.)
...*he must have seen us come up here yesterday and I assume he's come to see who's ill.*

—Soy la madre del coronel Aureliano Buendía.
—Usted querrá decir —corrigió el oficial con una sonrisa amable— que es la señora madre del *señor* Aureliano Buendía. (G. García Márquez, *Colom.*)
I assume you mean... that you're the mother of MISTER *Aureliano Buendía.*

NOTE

For a similar function of *haber de,* see 4.27.3.

***4.25.3** An extension of this conjectural use of the future and related tenses occurs when they are used as alternatives for *es posible que* to indicate a tentative or reluctant admission and are followed by a contrasting *pero* clause (or when a contrasting statement is implicit), the purpose and effect of which is to make the tentative admission sound irrelevant in any case. An equivalent English sentence pattern is: *He may (be rich) but (he shouldn't have behaved like that).*

—Uno será un desgraciado, pero tiene sus principios. (G. Torrente Ballester)
I may be a nobody but I do have my principles.

—... y no será grave si quieres, pero has infringido la ley. (M. D.)
It may not be serious, perhaps, but you HAVE *broken the law.*

—¡El petróleo es bueno, Natividad!
—Lo será para otros, para quienes se lo llevan en esos barcos de hierro...
(C. Rengifo, *Venez.*)
(Implied: *but it doesn't do* US *any good.*)

—Sería fea, pero tenía una gracia extraordinaria. (*Esbozo*, 474)
She may have been ugly, but she had a marvellous personality.

—Habrá cometido alguna imprudencia, pero en el fondo es honrado y hombre de fiar. (*Esbozo*, 472)

*NOTE

The idiomatic intensifying structure *todo lo* + adjective + *que (quiera)* meaning *very* or *as ... as (you like)* may follow a copula verb (*ser*, etc.) when used in this way:

—Yo seré todo lo malo que usted quiera; pero, en medio de mi perversidad, tengo una manía, vea usted..., no tolero que esta familia pase necesidades.
(B. P. G.)
I may be as bad as you like, but...

***4.25.4** A further rhetorical extension of this conjectural use of the future and related tenses of *pensar, creer, querer,* and their synonyms is best translated as *I hope* or *Surely,* both followed by a negative clause, or as *You don't expect (me to...).* (See also 4.27.4.)

—¡Yo sé quién fue!
—¡No pensará que fue este hombre! (A. B. V.)
I hope you don't think it was this man.

—¿Sigues jugando al póker?
—¡Bah! De Pascuas a Ramos... No creerás que este dinero te lo pido por eso.
(J. Calvo Sotelo)
Oh, very seldom. But I hope you don't think that's why I'm asking you for the money.

—¿Sabes lo que me ofrecieron el otro día por la casa?
—¡No pretenderás venderla! (T. Luca de Tena)

—¡No habrás pensado quedarte a vivir aquí! (A. Casona)

4.26 *Individual uses of the future and conditional*

4.26.1 The future is used at times for giving instructions. As happens with the more frequent use of the present tense with this function (see 4.22.2), the inclusion of a subject pronoun may turn a polite or firm request into an abrupt order.

—Saldrás a su encuentro y le dirás que venga. (*Esbozo*, 470)
Go and meet him and tell him to come.

—No matarás. (*Esbozo*, 470)
Thou shall not kill.

—Tú harás lo que te digan.
You'll do as you're told.

NOTE

For the ritual use of the future of *ver* and *decir*, see 1.11 and 2.7, respectively.

***4.26.2** In addition to the general use of the conditional to formulate a polite request (e. g. *¿Podría usted decirme sus señas? ¿Tendría la bondad de decirme su nombre?*), the following idiomatic uses of the tense are found:

(Se) diría, parecería and *juraría* are used in place of the present tense to introduce a deferential personal opinion (see also 2.15.3):

—Yo diría que tiene razón.
I would say he is right/It seems to me he's right.

—¿No has oído como unos golpes?
—No.
—Pues juraría que eran unos golpes. (C. Muñiz)
I could swear I heard blows.

Andaban en la escalera.
—A lo mejor es Horacio.
—A lo mejor. Más bien parecería el relojero del sexto piso; siempre vuelve tarde. (J. Cortázar, *Arg.*)

No sabría is used as an equivalent of *no puedo* or *no podría:*

—Siento de una manera vaga, que no sabría explicar, el impacto de la naturaleza. (J. Díaz, *Chile*)

4.27 'IR A' AND 'HABER DE'

Because of their standard functions as verbal periphrases and their frequent use with varied colloquial functions, it is necessary to treat these two verbs separately rather than in a series of notes under the relevant preceding sections on tense usage.

The functions which we may take as standard are the following:

Ir a:

Present tense followed by an infinitive, for future action (e. g. *Voy a salir*).
Imperfect tense followed by an infinitive, for future action reported (e. g. *Dijo que iba a salir*).

Haber de:

Present and imperfect tenses followed by an infinitive:

a) to denote prearranged, destined, or known (past) action (e. g. *Ha/había de venir el día doce, 'He is/was to come on the twelfth'*);

b) to denote obligation (e. g. *Ha de reconocer la verdad, 'You have to admit the truth'*).

Peculiar to colloquial usage, however, are the following functions of these two verbs.

4.27.1 The most common function of *ir a* and *haber de* (usually in the present and imperfect tenses, but occasionally in the conditional tense of *haber de*) is in interrogative sentences of emotional denial, rejection, and indignation. This use as an emotional response pattern has been described in detail in 3.19, to which the reader is now referred.

***4.27.2** The imperfect of *ir a* may be used as an alternative for signalling the conditional (more rarely, the conditional perfect) of a following infinitive. This occurs particularly in interrogative main clauses which follow a subordinate clause containing a hypothesis (i. e. after *si*, *aunque=even if*, etc.), but such usage of *ir a* may also be found in statements accompanied by an explicit *or* an implicit hypothesis.

—Si yo no fuera buena, Andreíta, ¿cómo les iba a aguantar a todos? (Carmen Laforet)

—Y si todos pensasen como tú, ¿quién iba a quedar aquí? (J. F. S.)

—Ya sé que, aunque te pareciera lo contrario, no me lo ibas a decir. (R. S. F.)

—No vengas a casa hasta que yo te lo diga... Es que no me ibas a encontrar, ¿sabes? No quiero que te molestes. (Carmen Laforet)
...*You wouldn't find me at home [if you came]*...

—Él no valía mucho, pero se llenó de plata con el negocio que le dejó su padre. ¿Quién lo iba a decir? (R. M. Cossa, *Arg.*)
... *Who would have thought it?*

***4.27.3** In American Spanish, and particularly in Mexico, the present tense of *haber de* is still more frequently used than in Spain to refer to future time. It also retains the corresponding extended function of indicating a supposition or conjecture (see 4.25.2).

—No ha de tardar mamá. Ya es casi la hora de la cena. (W. Cantón, *Mex.*)
Mother can't/won't be very long now. It's almost dinner time.

—Pero una cosa te advierto: tan pronto como vea el cadáver, te lo juro..., que te he de sacar de donde te metas y te mataré con mis propias manos.
(G. García Márquez, *Colom.*)

—Entonces has de tener por ahí tus ahorritos debajo de algún ladrillo escondido.
(A. González Caballero, *Mex.*)

***4.27.4** The future of *ir a* is not infrequently used, particularly when followed by *decir,* in negative rhetorical sentences indicating an emotional attitude (see also 4.15 and 4.25.4). Possible as English translation patterns are the following: *I hope* (followed by a negative clause); *You're surely not going to...; You don't think he's going to...*

—Tú viste la escenita de ayer, cariño, ¡qué bochorno!; no irás a decirme que es la reacción normal de una cuñada... (M. D.)

La señora Mendía le miraba ahora como si fuera un ser venido de otro planeta.
—No irá usted a darle la razón a Nando... (Mercedes Salisachs)

—Ha salido de casa como una exhalación... ¿No irá a hacer alguna tontería?
—Descuida, mujer. Es un chico muy sensato. (A. M. de Lera)

***4.28** Some of the forms of the present and imperfect subjunctive of *ir a* have emotional colloquial functions similar to those described in 4.15, 4.25.4, and in the preceding section. In the first of these functions, the form *sea* and the forms *fuera* and *fuese,* which are common to both *ir* and *ser,* are used.

***4.28.1** In the second of a sequence of sentences or juxtaposed clauses, a combination of possibility and negative hope may be expressed by the following introductory verbal patterns, which are derived from standard constructions for expressing possibility, wishes, and negative hopes (i. e. *Es posible que; Espero que no,* and *Que no* followed by the subjunctive):

No (*te,* etc.) *vaya(n) a* + infinitive.
No vaya a ser que + subjunctive.
No sea que + subjunctive.

Usually, an adequate translation into English will be obtained by using *in case,* but in some contexts the following may prove more suitable: *We don't want you -ing; If you don't want to...; I hope it doesn't...*

—Abramos los paquetes, Mudito, no vaya a haber algo importante.
(J. Donoso, *Chile*)

—¿Estará cargado el fusil?
—Sí.
—Pues bájelo entonces, no vaya a ser que me pegue usté un tiro. (A. Gala)
Well, don't point it at me, in case it goes off and you hit me.

—Vía Trentina, 18, 18. En el 19 vive un comerciante que se llama también Julio. No se vayan a confundir y le den a él la carta. (A. Paso)
We don't want them giving the letter to him by mistake.

—Desayunemos antes, Cris, no sea que se nos quite el apetito. (T. Salvador)

—Cuida tus palabras, bruja, no sea que te devuelva a la esclavitud de la que te saqué. (C. Fuentes, *Mex.*)
... unless you want me to put you back in the gutter where I found you.

Manda, pues, guardar el sepulcro hasta el día tercero, no sea que vengan sus discípulos, le roben y digan al pueblo: Ha resucitado de entre los muertos.
(Seco, 245, quoting St. Matthew, 28, 64)

*NOTE

In reported form, *no vaya a* and *no sea que* become *no fuera/fuese a* and *no fuera/fuese que:*

—... observé con atención el descabezado cadáver del ex Protector, no fuera que aún estuviese vivo; tantas sorpresas nos había dado...
(H. A. Murena, *Arg.*)

***4.28.2** When addressed to the listener(s), the verbal formula is *no vaya(s) a* or *no vayan a,* and it is most commonly followed by *creer.* It has the combined force of an imperative and a negative hope. English: *Now don't go and...; I hope you don't...*

—¡Señora!..., no vaya a creer nada malo..., antes que faltarle al respeto a usted preferiría estar muerta. (J. Díaz, *Chile*)
Madam! I hope you won't think badly of me...

—Aunque soy cobarde con algunas cosas, no vayas a creer que no soy capaz de todo. (R. J. Sender)
Although I'm a coward in some matters, don't run away with the idea that I can't do what has to be done.

—Por Dios, Paloma, que acaba de comer... No la vayas a matar de una indigestion. (J. A. de Z.)

—Quítate la ropa que llevas puesta... Ahora mismo, no vayas a estar llena de microbios. (M. V. L.)
Take off the clothes you're wearing. Right now, in case you're covered in germs.

*4.29 THE IMPERATIVE

The imperative, although also used in standard sentences, is one of the most characteristic of colloquial verb forms since its purpose is for the speaker to give an order directly to the listener(s), that is, it is a form for direct personal communication. Because it is a basic feature of the verb, it is described in its essential forms (i. e. *comprar: compre(n), no compre(n), compra, no compres,* and, in Spain, *comprad, no compréis*) in all basic Spanish courses and grammar books, which makes further comment here superfluous. What might be more useful and illuminating, however, is a composite list of those colloquial variants for the imperative which have been described in several preceding sections of this manual.

*4.29.1 *Verbless equivalents*

Nouns and adverbial expressions (2.26.1):

—¡Silencio!
—¡Fuera!

a + noun (4.8.2, note 2):

—¡A la cama!

ni + noun (4.7.1):

—A la gente... ¡ni caso! (Sara Suárez Solís, 177)

nada de + noun (4.7.2):

—Y nada de historias con la mujer. (A. B. V.)

cuidado con/ojo con + noun phrase (3.6.2):

—¡Cuidado con las tijeras!

*4.29.2 *Non-finite equivalents*

The infinitive (4.8.1):

(positive):

—Bajarlo, hijas, bajarlo. (B. P. G.)

(negative):

—Un momento, no hablar todos a la vez. (J. G. H.)

a + infinitive (4.8.2):

—¡A dormir!

a ver (2.26.2):

—A ver ese dibujo. (T. Luca de Tena)

ni + infinitive (4.7.1):

—Tú debes decirle: «A mí, por mí, ni preocuparte...» (J. Calvo Sotelo)

nada de + infinitive (4.7.2):

—Nada de hablar.

sin + infinitive (4.8.3):

—Sin atropellar, niños... (C. R., 457)

cuidado con/ojo con + infinitive (3.6.2):

—¡Cuidado con olvidarlo!

andando (4.23.1, note):

—¡Andando!

***4.29.3** *Other verbal equivalents*

Present tense (4.22.2):

—Escucha..., si la pensión de tu madre no te llega, nos lo dices. (J. F. S.)

—Usted se calla. (C. Muñiz)

ya + present progressive tense (4.23.1):

—Ya te estás largando... (J. L. C.-P.)

mejor + present indicative or subjunctive (4.19.2):

—¡Tú, mejor te callas! (E. Wolff, *Chile*)

Future tense (4.26.1):

—Saldrás a su encuentro y le dirás que venga. (*Esbozo*, 470)

—Tú harás lo que te digan.

verás (1.11):

—Verás, Margarita. No te enfades, ¿eh? Déjame hablar sin enfadarte...
(R. Rodríguez Buded)

tú dirás/usted dirá (2.7):

—... Queríamos preguntarle algunas cosas.
—Usted dirá. (A. B. V.)

*NOTES

1. See also, for other references to the imperative, 1.23.2, 1.26.2 note, 2.25.4, 3.11.2, 4.15, and 4.28.2.
2. The colloquial imperative which consists of the forms *vaya, vayan, vete, ir, id,* and *iros* followed by a present participle may sometimes be translated into English as *start -ing,* but usually the most adequate translation will be a plain imperative:

—Vete cerrando las puertas. (E. Lorenzo, 89)

—Vayan ustedes sentándose, mientras yo termino esta preciosa pieza de Chopín. (M. M.)

—Vayan recogiendo [*los libros*]. (overheard in a Madrid library at closing time).

—Iros llevando las cosas, hala. (R. S. F.)

* VARIATION IN MOOD

***4.30** Statements on the decline of the subjunctive in modern times have been made by more than one Spanish grammarian. Where these statements refer to the decline and loss of functions of subjunctive tenses like the future, and even the imperfect in *-se* (e. g. *comprase*), they must be accepted as being true. However, before it is assumed that the use of the subjunctive in general is in decline, a further factor, also mentioned by a few grammarians and linguists, should be examined. This important factor is the availability and use of *choices* (or equivalents) for many functions of the subjunctive. For example, in standard grammar, there is a choice of mood available (albeit with slight differences of meaning or intention, not always translatable into English) after *quizá* (and its synonyms), *aunque* (when followed by a 'fact'), *esperar,* negative verbs of thinking, believing, and knowing (e. g. *no creo que, no sabía que*), and after interrogative verbs of belief. There is also a choice available after certain verbs of ordering and allowing (e. g. *mandar, ordenar, permitir, prohibir, dejar*), and *si* followed by the subjunctive may be replaced by *de* + infinitive (e. g. *De haberlo sabido te lo habría dado = Si lo hubiera sabido*...). Finally, one may choose between *que* + subjunctive and *si* + indicative after certain verbs and expressions like *perdonar* and *no me importa.*

When we examine the use of the subjunctive and indicative in colloquial Spanish, we find that there are a number of instances where an indicative form is either an alternative or a replacement for a standard subjunctive.

The use of the indicative mood in such cases may give the impression of a decline in the use of the subjunctive —and, indeed, such a decline may be accelerated because of their very existence— but it should be remembered that these uses of the indicative are restricted to one type of usage (i.e. colloquial Spanish) —just as other choices of mood may be restricted to other 'styles' of Spanish— and are not therefore an indication of standard usage (a point which should also be borne in mind by students and teachers of Spanish).

This said, it should be further pointed out that, in colloquial Spanish, there are a few other cases where the replacement of a standard indicative or infinitive by the subjunctive is possible. However, leaving aside the debate on the decline of the subjunctive, we return to our main concern in this chapter, the description of variations in verb forms. In the following sections, both types of colloquial alternatives and replacements for subjunctive or indicative are examined.

*4.31 *Subjunctive replaced by indicative*

In preceding sections we have seen that the subjunctive forms of the imperative may be replaced by a wide range of alternatives (4.29); that after colloquial synonyms of *quizá* and *es posible que* (i. e. *a lo mejor, igual,* and *lo mismo:* 4.16), only the indicative is used; that in conditional sentences, the present tense of the indicative may replace the imperfect and pluperfect subjunctive (4.22.5); and that with certain expressions of emotion and judgement (4.19), the indicative is either required (e. g. *menos mal que*) or possible (e. g. *mejor*).

There is also a slight tendency to use the indicative after other expressions of emotion and judgement when these are exclamatory (e. g. *Lástima que*) and, very occasionally, when they are not (e. g. *Estoy contento de que; Me alegro de que; Me temo que,* etc.). With emphatic rearrangements of expressions of emotion and judgement (e. g. *Es triste que* → *Lo triste es que; Está bien/mal que* → *Lo bueno/malo es que*), the indicative seems to be more frequent than the subjunctive.

—A lo mejor viene hoy.

—Lo mismo se va mañana.

—Si lo sé, no me caso.

—Menos mal que has llegado.

—Mejor nos vamos.

—Lástima que yo no hablo inglés. (D. L. Bolinger, 1959, 372)

—Qué bueno que llamaste. (D. L. Bolinger, 1959, 372)

—Qué suerte que te gustaron. (J. Cortázar, *Arg.*)

—Me alegro mucho de que así es. (D. L. Bolinger, 1953, 459)

—Estoy contento de que supiste hacerlo solo. (*Cuestionario*, 88)

—No lo puedo remediar: me da coraje que lo hizo sin mi permiso. (J. M. Lope Blanch, 1958, 383)

—Temo que llegará con retraso. (*Esbozo*, 456)

—Lo curioso es que la idea de encarcelarlo no fue del Serrano. (M. V. L.)

—Lo importante es que has salido de ésta. (A. B. V.)

*NOTE

Also worth noting is the occasional colloquial use of *sin* and *para* followed by a subject pronoun and an infinitive instead of by *que* and a subjunctive form:

—Pudiste, sin yo saberlo, ver a mi hijo. (Spaulding, 111)

—Señor Tobías, me merezco que usted me mate... Que usted me pegue todo lo que quiera sin yo defenderme. (A. Sastre)

—Déjala sobre la cama para yo arreglarlo. (*Cuestionario*, 90)

*4.32 *Colloquial uses of the subjunctive*

Far less in number and frequency are the instances where a subjunctive alternative exists for a standard indicative or infinitive.

***4.32.1** The most frequent of these cases involve the use of:

a) verbs of thinking followed by the expression of a possibility;

b) a negative or interrogative verb of knowing followed by a doubt.

—Esa creo que sea la mejor actitud. (J. A. de Z.)
I think that may be the best attitude.

—Pienso que sea así. (overheard in Madrid)

—Pensé que haber trabajado en la juventud me aprovechase para en la vejez tener descanso. (C. Fuentes, *Mex.*)
I thought that having worked in my youth might help me to have a rest in my old age.

—¿No sabes lo que sea? (Spaulding, 80)
Don't you know what it may be?/... is?

—Yo me desperté y no sabía lo que aquello significase. (J. Polo, 1968, 258)
I woke up and I didn't know what that could (have) be(en).

—Nunca he visto la justicia en Tajimaroa. No sé con qué se coma eso que llamas justicia. (F. Benítez, *Mex.*)

—¿Quién sabe qué tenga? (A. González Caballero, *Mex.*)

—¿No es una locura?
—No sé qué te diga. Locura sí es, pero natural consecuencia de otra locura...
(J. Benavente)

—No sé si diga que en cuanto a pintar no tiene que envidiar a nadie.
... *whether to say...* (Spaulding, 95)

***4.32.2** Other alternatives occur in conditional sentences where *como* + subjunctive and, less frequently, *con que* + subjunctive replace *si* + present indicative (see 4.34):

—Como lo digas otra vez, me marcho.

—Con que salga bien su proyecto, estará contento.

***4.32.3** The subjunctive is also found after *parecer que* as a variant for *parecer como si ('it seems as if').*

—Parece que nunca tuviera nada que hacer. Siempre está en el balcón.
(C. Gorostiza, *Arg.*)

—Es extraño... Parece que sea ayer cuando nos reuníamos en el café de las Ramblas. (J. Goytisolo)

NOTE

There are also a few set expressions containing subjunctives which are equivalent to standard and colloquial indicatives: *pueda ser* (see 4.16 note); *que yo sepa, que se sepa,* and *que sepamos (=creo/se cree/creemos que)* and *que yo recuerde (=creo que)* (see 4.17).

VARIATION IN CONDITIONAL SENTENCES

4.33 Tense variation in conditional sentences has already been described in sections 4.22.5, 4.24.1, and 4.27.2. Also characteristic of colloquial Spanish, however, are a number of clause and sentence patterns which are equivalent in meaning to standard *si*-clauses or to sequences of main clause + *si*-clause (or *aunque*-clause meaning *even if*). These clauses and sequences are described in 4.34-4.37.

4.34 Alternative colloquial versions of subordinate clauses containing *si* and *aunque* are as follows:

Como + subjunctive (usually the present tense and indicating a threat): 4.34.1.

Con que + subjunctive or *con* + infinitive or a noun phrase: 4.34.2.

Verbless expressions equivalent to a *si*-clause: 4.34.3.
Ni aunque + subjunctive: 4.34.4.
Ni que + subjunctive: 4.34.4.
Ni + adjective 4.34.4.
A + infinitive: 4.34.5.

4.34.1

—Como vuelva a verte con Rosa, te juro por tu madre que te tiro por el hueco de la escalera. (A. B. V.)
If I catch you with Rosa again, I swear I'll throw you down the stairs.

—Como digas que me viste salir, me las vas a pagar. (C. Gorostiza, *Mex.*)

—Como pudiera, poco tiempo iba a pasar aquí. (J. F. S.)
I wouldn't spend much time here if I could avoid it.

*Note

Como no sea/fuera/fuese, found both in colloquial and standard Spanish, may be regarded as lexicalized versions of *excepto:*

—... pero nada podemos hacer, como no sea dormir hasta mañana.
(R. Usigli, *Mex.*)

Susana casi nunca salía con la criada, como no fuese para alguna compra.
(Spaulding, 83)

4.34.2

—Con que salgamos a las cuatro, nos da tiempo. (N. D. Arutiunova, 1965, 96)

—¿Ganas ni pierdes con que paguen o dejen de pagar los impuestos?
(A. M. de Lera)
Does it affect you either way whether they pay their taxes or not?

—Con sacar para merendar, ya me conformo. (M. D.)
As long as I get enough to buy something to eat, I'll be happy.

—Con una hembra así era yo el rey de España. (Lidia Contreras, 85)
With a woman like that I'd be king of Spain/If I had...

*Note

Occasionally, the *con* + infinitive construction occurs as a second hypothetical qualification of a main clause already qualified by a *si*-clause:

—Yo creo que si se le da por conquistar mujeres, con solo mirarlas todas hubiesen caído de rodillas a sus pies. (G. Casaccia, *Paraguay*)
I think that if he'd taken it into his head to flirt with women, a single glance from him would have had them on their knees in front of him.

4.34.3

Si no *De otro modo* *De lo contrario*	*Otherwise*
Yo que tú *Yo de usted*	*If I were you*

—... hazle caso a ella. De otro modo, te hundes. (E. Barrios, *Chile*)
Do as she says. Otherwise, you're finished.

—Menos mal que hubo arreglo. Si no, calabozo tenía para un mes. (Lidia Contreras, 69)
Luckily, they sorted it out. Otherwise, he'd have been in jail for a month.

—Debiste suponerlo, porque, de lo contrario, ¿quién habría venido a contarme todo? (E. Caballero Calderón, *Colom.*)

—Yo que tú, me casaba con ella. (A. B. V.)
If I were you, I'd marry her.

—Yo de usted, se lo digo con la mejor voluntad..., me iba a otro sitio. (A. Palomino)
If I were you, and I say this for your own good..., I'd go somewhere else.

*4.34.4

—Ni aunque me lo jurase me lo creería. (Moliner)
I wouldn't believe it even if you swore it was true.

—No, no las voy a tocar, ni aunque tuviese la tentación. (S. Eichelbaum, *Arg.*)

—No me quedaría un minuto a tu lado, ni que me lo pidieras de rodillas.
—Descuida. No te lo pienso pedir. (J. Salom)

—Lo que yo quería era entender un poco mejor su vida...
—Mi vida —dijo la Maga—. Ni borracha la contaría. (J. Cortázar, *Arg.*)
I wouldn't tell you my life story even if I were drunk.

—No seas ingenuo, Crespi —sonrió—, ni muerta me casaré contigo. (G. García Márquez, *Colom.*)

*Note

For a derived colloquial response pattern, see 3.20.

*4.34.5

—A poder ser, te lo haré esta semana. (Moliner)

—A ser cierto, este acontecimiento revolucionará la política mexicana. (R. Usigli, *Mex.*)

—¡Parece mentira! A no verlo, no lo creería. (M. de Unamuno)

***4.35** Several combinations of coordinate or juxtaposed clauses and sentences may function as conditional sentence equivalents. Although the conditional meaning is not explicit, it is interesting to note that tense variations found in colloquial conditional sequences (see 4.22.5 and 4.24.1) may be found in some of these combinations.

***4.35.1** The most frequent type of combination consists of two clauses linked by *y* or *o* and often conveying advice or a warning. The first clause is often an imperative. Sequences with *y* are equivalent to positive conditions and those linked by *o* are equivalent to negative conditions. Occasionally, the conjunction *o* may precede both clauses. The same types of sequences exist in colloquial English: *You just... and/or I'll...; Do that or I'll...; Either you do that or I'll...*

—Cásate y verás.
You just get married and you'll see/If you get married, you'll see.

—Pues el mar no parece revuelto.
—Aquí, no. Pero salga un par de millas y empezará el baile. (J. G. H.)
«But the sea doesn't look rough.»
«Not here, but you just go a couple of miles out to sea, and you'll find it choppy enough.»

—Pruébelo y me lo agradecerá. (Ofelia Kovacci, 11)
Try it and you'll thank me.

—Suéltame o te pego un sartenazo. (L. Olmo)
Let me go or I'll hit you with the frypan.

—Ponte algo o pescarás un buen catarro. (J. G. H.)
Put something on or you'll catch cold.

—O ese niño se porta bien o no va al cine. (Ofelia Kovacci, 19)
If that child doesn't behave, he won't go to the cinema.

—De ti no me interesa nada, ¿comprendes? Mañana me dicen que te has roto la cabeza con esa moto y me quedo tan fresca. (J. Marsé)
I'm not interested in anything to do with you, you understand? If I'm told tomorrow that you've broken your neck on that motorbike, I won't turn a hair.

—Fíjese; me lo tenían que jurar y no lo creería. (J. F. S.)
Imagine. Even if they swore it was true I still wouldn't believe it.

—¿Quién puede resistirse? Si a usted lo quisieran comprar, Ocampo, ¿podría resistirse? Pues yo, no. A mí me muestran un dólar, y todas mis defensas se derrumban. ¿Por qué será eso? (M. Benedetti, *Urug.*)

***4.35.2** The following variant patterns are also found:

a) a verbless first clause equivalent to a *si*-clause;

b) a verbless second clause equivalent to a main clause;

c) two verbless clauses connected by *y*;

d) a clause beginning with a subjunctive verb and followed by *y* and an independent clause (cf. 3.23.1).

a)

—No puedo. Una palabra más y la abrazaré. (F. Grande)
I can't. Another word and I'll hug her/If she says another...

—Un simple esfuerzo de voluntad, y toda la fortuna y el poder volverán de golpe a tus manos. (Ofelia Kovacci, 11)
Just a little will-power on your part and the whole fortune and all the power will suddenly come back to you.

b)

—Le hago yo dos caricias a ese tigre, y un borreguito. (M. Regula, 1853)
All I've got to do is to stroke that tiger and he'll be eating out of my hand/ If I just... he'll...

c)

—¿Cómo no se me ocurrió eso? Una cosa tan sencilla. Un poquito de nervios, y listo. (E. Barrios, *Chile*)
Why didn't I think of that before? It's so simple. A little self-control and that'll be that.

Una ráfaga de viento sobre el despeñadero y un pescador de menos en la aldea. (Ofelia Kovacci, 11)
A strong gust of wind over the cliff and there'll be one fisherman less in the village.

d)

—Hubieras ido en avión y llegabas al día siguiente. (Ofelia Kovacci, 11)
If you'd gone by plane you'd have arrived the next day.

—...le hubiera regalado unos zapatos y habría quedado más contento. (Lidia Contreras, 77)
If I'd given him some shoes he'd have been a lot happier.

*NOTE

See also 3.23.1.

***4.36** In standard grammar, the conjunction *que* may function as an equivalent or replacement of *si* after certain verbs and expressions of emotion when a hypothetical clause is stated as grammatical subject or object. For example: *Me gustaría que vinieras; No me importaría que lo dijera; Imagínate que mañana rapten a Alvarito* (S. Vodanović, *Chile*). Also, in colloquial Spanish, *que* may replace *como si* after *parecer* (see 4.32.3): *Parece que tuvieras treinta años* (J. A. Payno).

Such parallels as these may help to explain the fact that, in the following colloquial sentence types equivalent to conditional sentences, the common factor is the inclusion of *que* in sentences consisting of juxtaposed clauses but lacking any other subordinating conjunctions.

***4.36.1** The first pattern consists of *que* + clause + *y* + clause. Here *que*, unlike *si*, may be followed by a verb in the present tense of the subjunctive.

—Pues que fueran todos los diablos como tú y se arruinaba. (R. S. F.)
Well, if all the guys were like you he'd go bankrupt.

—Que alguien se decida a dar cuatro martillazos y la casa queda construida. (Lidia Contreras, 77)
If someone would make up his mind to get stuck into it, the house would be built in no time.

***4.36.2** The following patterns, which contain *que* and which are also equivalent to *si-* or *aunque*-clauses, are quoted in other reference works:

—Sangre mía que fueran, no me causara su perdición tan honda pesadumbre. (Spaulding, 65)
Even if they were my own flesh and blood, their loss would not cause me such deep affliction.

—El mismo Veneno, que me pillase aquí, no se escamaría. (Keniston, 171)
Veneno himself wouldn't suspect anything, even if he were to catch me here.

—Carta que llegue a nombre mío, no se la dé usted a nadie más que a mí. (Keniston, 177)
If any letters arrive for me, don't give them to anyone else.

*Note

This latter pattern, which may also involve a repetition of the noun and which may be equivalent to *cada* + noun + relative clause, is also used with the indicative:

—Paso que daba, paso que me parecía inspirado por él. (Beinhauer, 288)
Every step I took seemed inspired by him.

***4.37** Two juxtaposed clauses or sentences, the first usually introduced by *que* or *¿que?*, the second by *pues*, *entonces*, or nothing, may also be loosely considered as equivalent to conditional sentences, since they convey an imagined or alleged problem, objection, or criticism (often with ellipsis of a form of *decir*), and its possible solution or a comment on it. In some cases, the sequences translate into English as conditional sequences, but often the nearest equivalent will be based on the following pattern: *So (they say) you (may) get hurt? Too bad.*

El patio da también a la casa del cura.
—Así estoy mejor. ¿Que quiero un poco el fresco? Pues me doy un paseo por aquí y no tengo que salir a la calle más que en caso de necesidad. (C. J. C.)
If I want a bit of fresh air, I just take a walk around here...

—Que no puedes venir..., me avisas. (Moliner)
If you can't come, just let me know.

—Piensas otra cosa, entonces me avisas para que vaya yo en tu lugar. (Moliner)
If you have second thoughts, just let me know and I'll go in your place.

—... Que va a aparecer un cometa el mes que viene... Pues ya le veremos cuando aparezca... (L. Spitzer, 113)
So (they/you say) a comet's going to appear next month? Well, we'll see it when it appears, won't we?

—¿Que voy por la vida sucio, greñudo, desganado? ¡Y qué importa si no tengo con quien quedar bien! ¿Que no trabajo? Qué más da, si nadie tiene que vivir a mi costa. (J. Rubén Romero, *Mex.*)

—Pero te aseguro que conozco más de mi tema que ustedes del suyo. ¿Que somos colonia? Claro que sí. Afortunadamente. (M. Benedetti, *Urug.*)

SUPPLEMENTARY EXAMPLES FOR STUDY AND TRANSLATION

A

Exercise 1. Sections 4.0-4.20

1. —¿Cómo lo consiguió?
—Trabajando mucho.

2. —¿Qué piensan hacer?
—Irse.

3. —¿A cuántas mujeres ha engañado usted?
—¿Engañar yo? A ninguna. (P. Baroja)

4. —Nadie vendrá.
—Mi hermano, sí.

5. —Lo hicieron ustedes.
—Yo, no.

6. —Te doy una casa por veinte duros y tú que nones. ¿Qué es lo que quieres, entonces?

7. —Mi tío me ha dado un recado para ti. Que si mañana, a las ocho de la noche, quieres ir a una reunión en su casa. (J. M. Gironella)

8. —¿Y los otros?
—¿Los otros?
—¿Dónde los puso? (M. D.)

9. —¿Y si nos atacan las fuerzas del gobierno?
—No podrán atacarnos. (A. de Laiglesia)

10. ... podría verla en cualquier momento a la entrada o a la salida de la oficina. ¿A qué correr como loco? (E. Sábato, *Arg.*)

11. —Es que...
—Ni una palabra. (X. Villaurrutia, *Mex.*)

12. —Le saludé, pero él ni mirarme.

13. —Y si necesitas agua caliente, te la traeré volando.
—No; nada de molestarse por mí. (B. P. G.)

14. —Mirar: por allí encima pasa el tren. (M. D.)

15. —Iros, iros vosotros. (R. S. F.)

16. —¡Y ahora a dormir!, ¿eh?

17. —¡Ni siquiera te pagan! Si pagaran bien, por lo menos... (D. Sueiro)

18. —Habla de montar una fábrica como si tal cosa. (Moliner)

19. —Bueno, adiós. A ver si escribes pronto.

20. —Necesito pillarle a solas, cuando esté más descuidado. A ver si así es capaz de negarme lo mío. (A. M. de Lera)

21. —No me han dicho nada.
—A lo mejor no lo saben todavía.

22. —Dice que si como mucha carne, me pondré bien en seguida. Cuestión de vitaminas. Claro que yo prefiero que se coman la carne los chicos. (C. Muñiz)

23. —¿Pero a que no sabéis lo que ocurrió?
—Que murió Bombillita...
—No, no ocurrió eso... (L. Olmo)

24. —Menos mal que me he encontrado una amiga en Iquitos. (M. V. L.)

25. —Por suerte, todo va muy bien en el mejor de los mundos posibles. (J. Cortázar, *Arg.*)

26. —¡Si yo tuviera unos años menos!... Pero ¿dónde va una a mi edad? (L. Olmo)

27. —Está una harta de aguantar, oye.
—A ver si nos sale algo y nos casamos. (F. Umbral)

28. —El tráfico en la calle es muy animado y el ruido no te deja dormir. (M. Gorosch, 1967, 21)

29. —No te creas que no lo sé.

30. —Sé lo que me digo.
—Él sabe lo que se dice —añadió Tina con sorna. (J. Marsé)

31. —Que si me duermo, te tienes que estar aquí, de centinela...
—Bueno, hombre, bueno; me estaré. (B. P. G.)

32. —Por eso, se nos vienen las suecas y las inglesas a nuestras tierras... (J. G. H.)

33. —Oscar Marto, tú ya te supones lo que has hecho, ¿verdad? (A. Sastre)

Exercise 2. Sections 4.21-4.34

1. —Verás qué pronto abrimos esto —dijo Fernando cogiendo la navaja. (R. S. F.)
2. —Un día, a esta vieja la mato. (J. L. C.-P.)
3. —¿Y de dónde quieres que las saque?
   —¿Te lo digo? (L. Olmo)
4. —¿Me dejas tu pluma, por favor?
5. —Ahora te acuestas, descansas y mañana te encuentras mucho mejor. (C. Muñiz)
6. —Cuando te pregunte, le dices que no me has visto. (R. Fente Gómez, 38)
7. —Apunta eso... y lo que te tiene que contestar y te lo vas aprendiendo por el camino. Ella entonces, después de leer la carta, te dirá una hora, las siete, o las seis, o la que sea; tú la recuerdas bien y vienes corriendo a decírmelo. ¿Entiendes? (C. J. C.)
8. —Oye, Genovevita, chata —fui y le dije—, ¿a ti qué te parece? (C. J. C.)
9. —... le digo a Pablo, después de un rato que llevábamos sin hablar: "Oye, ¿no estás cansado?" (Carmen Martín Gaite)
10. —Llevo un buen rato pensando que me martirizo sin motivo. (R. Rodríguez Buded)
11. —Por poco me caigo esta mañana.
12. —Ya te he dicho: Vengo a ofrecerte mi amistad. A ponerme a tus órdenes para lo que pueda serte útil. He venido a encargarme de Altamira. (R. Gallegos, *Venez.*)
13. —¿Está aquí ese animal salvaje? Si lo sé, no vengo. (Spaulding, 99)
14. —Si me llego a casar en Madrid, la cosa hubiera sido peor. (C. J. C.)
15. —Mire, si nos prestara el dinero, nos marchábamos de aquí, y en Barcelona ya nos arreglábamos mejor. (J. F. S.)
16. —Si nos hubiéramos casado al final de la guerra del 14, Aurorita, cuando nos conocimos, ¿te acuerdas?, a estas horas a lo mejor teníamos ya nietos. (C. J. C.)
17. Ya míster Danger se disponía a recogerse a dormir cuando ladraron los perros y se oyeron las pisadas de un caballo. —¿Quién vendrá para

acá a estas horas? —se preguntó asomándose a la puerta. (R. Gallegos, *Venez.*)

18. —No oigo bien. Mírame dentro de las orejas, tengo algo que me zumba. No sé si será una abeja. (Ana María Matute)

19. —¿No le habrá ocurrido algo?
—¿Qué le va a ocurrir? (A. Sastre)

20. —Te repito que no tenía ninguna señal de violencia.
—Pues, la envenenarían. ¡Yo qué sé! (J. G. H.)

21. —Dígale al niño, que estará por la calle, que vuelva. (J. G. H.)

22. —Tiene un nombre muy feo, ya ve usted...
—... Pero se podrá decir, digo yo. (Sara Suárez Solís, 139)

23. —Cierre usted la terraza.
—¿La terraza? ¿Por qué la vamos a cerrar?
—Porque a lo mejor se enfría el enfermo. (M. M.)

24. —¿Qué tal la chica?
—¿Qué chica?
—La hija de Alfredo. ¿Cuál ha de ser? (J. F. S.)

25. —Camaradas, los soldados son hombres como nosotros. No dispararán. ¿Por qué lo habían de hacer? Llevamos la verdad. (M. Aub)

26. —Como me quieras engañar, formamos aquí la de Dios es Cristo. (A. M. de Lera)

27. —Ya ves —dijo Feliciana—, tienes tiempo... hasta las diez. Con que salgas de aquí a las diez menos cuarto... (B. P. G.)

28. —Con mandarle a un buen colegio, completábamos su educación. (J. A. de Z.)

29. —¿Y tú, qué le dijiste?
—Que no viniera, porque, de lo contrario, todo acabaría entre nosotros. (X. Villaurrutia, *Mex.*)

30. —Yo que tú, no haría eso.

B

EXERCISE 1. SECTIONS 4.0-4.13

1. —Buenas noches.
—Hola, Marta. Mucho frío, ¿verdad? (A. Sastre)

2. —Me gustaría saber qué hubieses hecho —observó su compañero.
—Molerte —exclamó Norte con voz ahogada—, molerte a palos. (J. Goytisolo)

3. —¿Tú crees que se casará con ella?...
—¡Ena casarse con Román! ¡Qué estupidez más grande! (Carmen Laforet)

4. —No espero a nadie ni estoy para nadie.
—Para mí, sí. (A. Casona)

5. —¿No puedes venir al cine?
—¡Ojalá!

6. —A los veinte años hice lo que todos. (A. Sastre)

7. —Lindo el traje.
—Y nuevo.
—Como que tiene sólo una noche de uso. (E. Barrios, *Chile*)

8. —¡Este curro ya tuvo miedo!
—¡Como que no es igual poner cataplasmas y lavativas a manejar un fusil! (M. Azuela, *Mex.*)

9. —Es el hombre más inteligente que conozco. Como que cuando él hable, todos le escuchan y le encuentran razón. (E. Barrios, *Chile*)

10. —¡Luzardo! ¡Santos Luzardo! ¿Tú por aquí, chico? (R. Gallegos, *Venez.*)

11. —Pensé despachar en diez minutos y he empleado veinte. ¡Y aquélla esperándome desde las seis! (B. P. G.)

12. —¿Ha visto usted el monumento? Muy artístico. La estatua es de gran parecido. Es él, es él. (J. Benavente)

13. —Desde luego es preciso apartar de la mente cualquier idea que tienda a emparentar el móvil de mi presencia en su despacho con un negocio. ¡Nada más lejos de mi espíritu, de nuestro espíritu! (X. Villaurrutia, *Mex.*)

14. —Con permiso. ¡Señorito Manolo!
—¿Qué ocurre?
—La muchacha de ustedes, de parte de la señorita, que ha venido el médico y la señorita quiere que esté usted presente... (J. Benavente)

15. —Ya sabemos cómo es el barrio. A mi madre le han ido alguna vez con cuentos de los Climent y de mí, no creas que no lo sé: que si esta mujer ha sido una fulana desde que la dejó el marido, que si la hija será lo mismo, que si son raros, que si estarán locos, que si no salen ni para ver el sol durante meses enteros... ¡Qué sé yo! (J. Marsé)

16. —Un día, se lo juro, eh, las dejo plantadas. ¡Que si barre! ¡Que si friega! ¡Que si haz la comida! (L. Olmo)

17. —Una discusión con el viejo. Imagínate que se había empeñado en poner dos camas gemelas: que si los tiempos, que si patatín, que si patatán. (A. Casona)

18. —Nacho es bueno.
—Y tu padre, ¿qué? ¿Es un ogro? (L. Olmo)

19. —¿Y si nos oyera el boticario? —murmuró éste de pronto. (M. D.)

20. —¿A qué preocuparte por saber de dónde y cómo vinimos? (J. A. de Z.)

21. —¿Pero por qué en ese caso recurrir a un procedimiento tan engorroso y cruel? ¿No podría habérmelo dicho personalmente por teléfono? (E. Sábato *Arg.*)

22. —¿Cómo será esa gente?... ¿Cómo clasificar su pobreza, cuando todos visten igual? (J. F. S.)

23. —¡Si tú le hubieras hablado siempre de mí, como debías haberle hablado! ¡Pero ya te conozco! ¡De su madre ni una palabra! (J. Benavente)

24. —¿Has bebido mucho champaña?
—Ni probarlo. (J. Benavente)

25. En mis tiempos los padres ya no casaban a los hijos. Ahora, eso sí, se tenían otras costumbres más normales. Nada de eso de salir todos los días. (J. A. Payno)

26. —Si usted está ocupado, doctor, y prefiere que nos marchemos... Podemos volver cualquier otro día.
—Nada de marcharse... Todavía nos quedan muchas cosas por aclarar. (M. M.)

27. —Si te dan dinero, dices que no, pero si insisten mucho..., lo coges. Nada de guardártelo, porque pienso registrar cuando vengas. (R. Rodríguez Buded)

28. —Esperaros un poco. (R. S. F.)

29. —¡Largarse ya! ¡A jugar por ahí! Divertíos. (R. S. F.)

30. —¡Anda, no quejaros! (J. A. Payno)

31. —¡A callar, todos, hijos del demonio, morralla, cerdos!... De rodillas. ¡He dicho que "de rodillas"! (M. Aub)

32. El guardia: —Tranquilos: sin correr y sin perderse.
Ordenadamente, siguiéndolo, nos ponemos a caminar. (L. Spota, *Mex.*)

33. —¡Sin ofender!
—Usted sabe leer, supongo.
—¡Repito que sin ofender! (A. Palomino)

34. —¿Pero cómo puedes decir eso? ¿Y cómo pueden pensarlo siquiera tus amigas?... Si vieras lo que me duele todo esto, Maribel... Y si vieras lo que me preocupa... Si mamá llegara a enterarse... (M. M.)

35. —¡Vaya unos birrias de ministros! Lo que yo le digo a usted: mientras no venga la escoba grande... (B. P. G.)

36. —Mira que te tengo dicho que no guardes [*put away*] las camisas sin planchar...; pues como si nada. (J. M. Rodríguez Méndez)

37. —A mí me ha dicho que allá en Rusia anduvo tras uno de esos melenudos que tiran bombas: un mozuelo con cara de mujer que no le hacía caso... Y la niña, por lo mismo, erre que erre, detrás de él, hasta que por fin lo ahorcaron. (V. Blasco Ibáñez)

38. —Se pasó toda la noche llora que te llorarás. (Moliner)

39. —Desquitas bien el sueldo, hijo... A reniega y reniega, pero a trabaja y trabaja. (M. Azuela, *Mex.*)

40. En el pueblo decían: —La tía, venga a traer criaturas al mundo, y el sobrino, venga a planear el modo de suprimirlas. (Mercedes Salisachs)

41. —... tuve que echarme al monte en plena tarde, a las seis..., y venga a trepar, ciega, sin saber por dónde iba. (Carmen Martín Gaite)

42. —... mucho presumir de modesta y de leída y no es más que una rancia. (M. D.)

43. —Mucha sonrisa, mucha amabilidad, pero cuando apenas les pude decir lo del dinero, empezaron a hablar de otra cosa, como si no entendieran. (C. Gorostiza, *Arg.*)

44. —Mucho "todos camaradas" y "llámame de tú", pero cuando bajé del coche y di la mano a Vicente, me dijiste luego que no diera la mano a los criados. (Elena Quiroga)

Exercise 2. Sections 4.14-4.26

1. —Hace frío, ¿eh?
   —Un poco. A ver si se pasa ya este invierno. La primavera es otra cosa. (A. Sastre)

2. —Creo que vuelvo a estar embarazada.
   —Pues a ver si viene ese hombrecito que tanto deseo. (J. A. de Z.)

3. Sánchez se volvió ahora repentinamente hacia los dos redactores y les gritó: —¡Vosotros, a ver si escribís y os dejáis de perder el tiempo! Que quiero acabar con esto en seguida. (D. Sueiro)

4. —Todavía no han llegado.
   —A lo mejor vienen andando.

5. —Pero eso no es verdad.
   —Yo ya no sé lo que es verdad. Puede que lo sea. (A. Sastre)

6. —... si no hubieran llegado a botarme de la oficina, igual acabo por marcharme solita cualquier día de éstos. Como lo oyes. (A. Grosso)

7. —La cartera no está aquí.
—Lo mismo está en tu despacho.

8. —En ese trato se gana el alcalde, que por lo visto no es tan burro, cinco mil pesos. (E. Caballero Calderón, *Colom.*)

9. "... Oiga, ¿qué hago con esto?" El médico se conoce que no sabía qué hacer, porque lo único que le contestaba era: "Eso se llama pierna..." (C. J. C.)

10. —Capaz que venga Luis esta noche. (Berta E. Vidal de Battini, 397)

11. —¿Cree usted, don José, que si yo hubiera nacido en Inglaterra hubiera sido protestante?
Don José, el cura, tragaba saliva:
—No sería difícil, hija. (M. D.)

12. —La cosa no parece mal planteada y, puestos a ver, todo está calculado por lo bajo, y malo sería que a fin de mes no recojamos 20 ó 25.000 pesitos sin otro trabajo que alargar la mano. (M. D.)

13. —¿Lo sabe alguien?
—Que yo sepa, no. (A. Sastre)

14. —Que él recordase, era ésta la primera vez que no se dormía tan pronto caía en la cama. (M. D.)

15. —¿A que no lo sabías, Gabriel, que tu viejo se sentó en la silla presidencial? (C. Fuentes, *Mex.*)

16. —Al fin. Al fin. Qué suerte que se vayan mañana temprano. Voy a caminar un rato solo, necesita respirar. Y menos mal que hablaba [*ella*] español. (M. Benedetti, *Urug.*)

17. —Mejor vámonos, muchachos. Hemos trafagueado mucho y mañana hay que madrugar. (J. Rulfo, *Mex.*)

18. —Mejor andate [*vos*] en seguida a tu casa —le dijo mi hermano. (J. Cortázar, *Arg.*)

19. —Yo también voy a venir aquí a pasarme las tardes enteras haciendo labor... Y es que se encuentra una tan a gusto, ¿verdad? ¡Como si de repente entrase en el cielo! (M. M.)

20. —Todo esto es muy penoso para mí. Uno ha visto ya mucho y está cansado. Muchas veces, uno desearía haber elegido otro oficio. (A. Sastre)

21. —Te dicen: "... Hay que divertirse." ... Y en seguida te proponen que te vayas a la cama con ellos. Todos buscan lo mismo. (J. R. Stamm, 339)

22. —¡Eso no se dice, niño!

23. —¡Ayer me diste plantón!
—Fui con mi madre a lavar.
—Pues se avisa, que uno no es un poste. (L. Olmo)

24. —Aquí, en mi casa..., mi mujer y este servidor de usted hemos desaprobado con verdadera indignación la conducta de mi hermano... (M. A. Asturias, *Guatemala*)

25. —Perdóname, pero no sé lo que me digo. (M. M.)

26. Por las tardes se iba al café de doña Rosa, se sentaba al pie de la escalera y allí se estaba las horas muertas, cogiendo calor. (C. J. C.)

27. —¿Os subís?
—No. ¿Tienes frío tú? Cuando tengas frío, me avisas y nos subimos. (J. G. H.)

28. —Voy a venir a pasarme la tarde aquí.

29. —Te has perdido una buena película.

30. —Vente a jugar una partida. (J. G. H.)

31. —No; no te vayas si no quieres. Yo me salgo al pasillo. (J. M. Rodríguez Méndez)

32. —Luego, dentro de un rato, salimos sin que nadie nos vea. (A. Sastre)

33. —Y mañana ya estamos cansados. (R. S. F.)

34. —Hasta luego. Nos encontramos en el café —dijo Machado, alejándose. (G. Casaccia, *Paraguay*)

35. —Tú te vas y usted se queda. (E. Lorenzo, 88)

36. —Apenas regreses, me despiertas —ordenó el Jaguar. (M. V. L.)

37. —¡Tienen que hablar!
—¿Y si ni así quieren?
—Los fusila usted con la primera luz del alba. (W. Cantón, *Mex.*)

38. —... y va y me dice Pablo: "Pero, bueno, no desquicies las cosas..." (Carmen Martín Gaite)

39. —Tiene razón Amadeo... Es un tío enfermizo. Fijaos que va y me suelta que esa manera de educar a los niños es de comunistas. (J. G. H.)

40. —Yo llevo dos años con él y todavía no sé lo que piensa. (J. M. Gironella)

41. —... llevaba bebiendo desde media tarde porque había terminado con Ester. (Carmen Martín Gaite)

42. —Ahora lleva varios días sin venir, ¿qué le pasará?
—Estará mala. (J. L. C.-P.)

43. —Hola, Pablo. Aquí estoy. Vengo a charlar contigo. (A. Sastre)

44. —El día anterior estuvimos en alta mar. ¡Calcule! Si me da allí la trombosis, termina conmigo. (*Ya*, 18-7-73)

45. El don Moisés Borrego estuvo en la guerra de Melilla, en la que llegó a cabo debido a su buen comportamiento. El coronel, que le había tomado mucho cariño, le dijo:
—Ha sido una pena que esto acabase tan pronto; si dura un poco más, llegas a sargento.
—Bueno, ¡qué le vamos a hacer! (C. J. C.)

46. De haberle valido, se levanta y le manda callar. (A. M. de Lera)

47. —Tú lo has querido. Señor Dolz, usted lo está viendo. No quiere ser razonable. (A. Sastre)

48. —¡Bájate de ahí inmediatamente! ¡Y ya estáis volviendo los tres para acá! (R. S. F.)

49. —¡Jesús, qué sorpresa! ¡Tú aquí! ¡Si lo estoy viendo y no lo creo! (J. Benavente)

50. —Vayan ustedes ahora mismo, voluntariamente, al discurso del rey. ¡Andando! (A. Gala)

51. —Si me cogieran en cualquier oficina, aceptaba. (C. J. C.)

52. —Si yo estuviera en edad de parir... ¡Que no, vamos! ¡Que yo no traía un hijo a este barrio! (L. Olmo)

53. —Pero, ¿no ves, hija, que soy un empedernido burgués? Y de los que no tienen remedio: de los que no dan golpe.
—Pues ya podías hacer algo. (A. M. de Lera)

54. —... yo les hago bromas, por jugar, como un pretexto para que hablen conmigo.
—Podías encontrar otros pretextos menos agradables. (C. Gorostiza, *Mex.*)

55. —Y mañana, lo que tenías que hacer, ¿sabes lo que es? Estarte todo el día en la cama. (J. M. Rodríguez Méndez)

56. —Algunas personas debían vivir en el desierto, no conocen lo que es la educación. (R. Rodríguez Buded)

57. —¡Oscar! Venía a buscarte. Tu teléfono estaba comunicando todo el tiempo. He llamado no sé cuántas veces. (A. Sastre)

58. —¿Deseaba usted ver a mi padre? Avisaré.
—No, señorita. Vuelvo a pedir perdón. (J. Benavente)

59. —Suéltenme, qué significa esto; oiga, se va a arrepentir, señor Pantoja, yo venía a ayudarlo. (M. V. L.)

60. Lucho sacó del bolsillo una carta cerrada y: —¿Qué dirá esto? —preguntó, más bien al sello hermético que a los oficiales. (E. Barrios, *Chile*)

61. —¿Si tendrá la desfachatez de presentarse aquí? (Moliner)

62. —Yo no sé qué la [*sic*] daría Paco, pero siempre le prefería. (M. D.)

63. —O ella entró en la oficina para hacer una gestión, o trabajaba allí. Desde luego, esta última era la hipótesis más favorable. En este caso, al separarse de mí se habría sentido trastornada y decidiría volver a su casa. (E. Sábato, *Arg.*)

64. —Pues tú no lo has hecho, que yo sepa. Y tiempo y ocasiones no te habrán faltado. Vamos, digo yo. (A. M. de Lera)

65. —Paraíso no tendremos, pero, mira, tenemos un infierno para nosotros solos. (A. Gala)

66. —Doctor —le dijo Pérez del Corral, que presenció la escena—: ese pobre hombre no tendrá pelagra, pero tiene un hambre atrasada de muchos días, que es peor. (P. Baroja)

67. —Él será todo lo malo que se quiera, pero verás como llega a ser director. (B. P. G.)

68. —... que el pobre Constantino será todo lo infeliz que quieras, pero es un chico bien raro, que creo que hace yoga. (M. D.)

69. —No pensarás que hago yo todo el gasto. (A. M. de Lera)

70. —No me encuentro bien aquí y quisiera marcharme.
—Pero, ¿por qué, Andrea?... ¿No estarás ofendida conmigo? (Carmen Laforet)

71. —Cierra la puerta, que juraría que vienen siguiéndome. (J. M. Rodríguez Méndez)

72. —¿Sabrías tú decirme, chaval, la casa de Louredo por dónde cae? (Carmen Martín Gaite)

Exercise 3. Sections 4.27-4.37

1. —... ¿Eres tú?
—¿Quién voy a ser? (R. Gallegos, *Venez.*)

2. —Sin pensar si vale la pena o no.
—¿Por qué no va a valer la pena? (C. Gorostiza, *Arg.*)

3. "¿Y si fuera a esperarla a la salida de su colegio?" Pero no me animaba. ¿Qué le iba a decir? ¿Y de dónde sacaría dinero? (M. V. L.)

4. —Pobrecito Chris, ¿quién iba a cuidar de ti, si no fuera por tu madre? (R. Rodríguez Buded)

5. —¿Le gustaría a usted verse retratado en una novela norteamericana? No, claro. ¿Cómo iba a gustarle? (Mercedes Salisachs)

6. —... y no me cabe duda de que no tiene nada que hacer. ¡Qué ha de tener que hacer, hombre, qué ha de tener que hacer! (M. de Unamuno)

7. —¿Imposible? ¿Por qué? ¿Por qué ha de ser imposible que me quiera a mí, a mí nada más? (A. González Caballero, *Mex.*)

8. —... se fijó usted en que... el ingeniero ese nos amenazó...
—¿Cómo no habría de fijarme, si fue más clarito que la luz del mediodía? (A. Yáñez, *Mex.*)

9. —¡Cinco años! ¿Quién había de decirme que a los cinco años de vernos... iba yo a buscarte con esta ansia? (F. González Ollé, 25)

10. —¿Y si, según tú, resultara que no es feliz?
—¿Por qué ibas a luchar entonces? (J. López Rubio)

11. —¿Quién iba a decirnos que por lo de los caballos se iba a poner el asunto tan feo? (Mercedes Salisachs)

12. —No sé dónde íbamos a vivir mejor que aquí. (R. Rodríguez Buded)

13. —Espero que no vuelva a ocurrir..., ibas a llevarte un disgusto. (A. Sastre)

14. —Ha de haber sido ese Mauricio el que te lo dijo. (R. Usigli, *Mex.*)

15. —Usted después de ver aquellos primores que hay en México no le ha de gustar este pueblo tan feo.
—No me pareció feo; todo lo contrario. (A. González Caballero, *Mex.*)

16. —Luego, el pabellón más bonito era el de la Santa Sede, del Vaticano... (J. M. Lope Blanch, 1971, 200)

17. —Te invito —dijo Genaro.
—Pero, no irás a entrar allí —respondió alarmado Emiliano. (J. L. C.-P.)

18. —Y ese fumadero de opio... y esos niños secuestrados... ¡No irá a decirme que todo esto es natural! (A. Casona)

19. —Pero disimula, mujer, disimula; no te lo vayan ellos a notar. (J. A. de Z.)

20. —... ¿Me despido de él?
—Déjalo, no vaya a querer irse otra vez. (A. B. V.)

21. —Usted debe dar algún grito. No muy fuerte, no sea que acudan los sirvientes. (R. J. Sender)

22. —Cuidado... Siéntate con cuidado, no vayas a manchar el delantal. (Elena Quiroga)

23. —Pero no me creas mejor de lo que soy, Andrea... No vayas a buscarme disculpas... (Carmen Laforet)

24. —¡Vete preparando! Creo que vamos a tener una fiesta. (D. Sueiro)

25. —Llegan con miedo. Probablemente les han dicho que aquí nos los vamos a comer crudos. (J. L. C.-P.)

26. —Lo triste es que con las oposiciones ganadas os tendréis que largar fuera de Madrid. (J. A. de Z.)

27. —Lo lamentable es que me ha creado un pequeño problema a mí. (M. V. L.)

28. —Usted perdone si le he molestado, pero el caso era urgente. (J. Benavente)

29. —Perdonen que les haya molestado a estas horas. (J. López Rubio)

30. No sabía qué clase de moneda fuese el ducado. (Keniston, 168)

31. —En vez de corbata, parece que llevaras envuelta al cuello una media vieja. (S. Salazar Bondy, *Peru*)

32. —Aquel día fue algo muy importante para mí... Y parece que me estuviera viendo aún salir aquella mañana de mi cuarto, feliz, sin sospechar que la tristeza estaba allí, esperándome. (J. L. Martín Descalzo)

33. —Como digas otra insolencia, te meteré este puño dentro de la boca. (R. Arlt, *Arg.*)

34. —No acepto nada como no sea el doble del sueldo. (C. Rengifo, *Venez.*)

35. —Le daba rabia llamarse Traveler, él que nunca se había movido de la Argentina como no fuera para cruzar a Montevideo... (J. Cortázar, *Arg.*)

36. —Con que lo digas tú, los convencerás. (E. M. Martínez Amador, 342.)

37. —Ya estaría enamorado de Ilse Hoffman... simplemente con que tuviese tres años más. (Lidia Contreras, 73)

38. —¿Qué ganás [*vos*] con matar a Cáceres y que luego te metan en la cárcel por varios años? (G. Casaccia, *Paraguay*)

39. —¿Creen ustedes que de otro modo me hubiera metido en construir el aeropuerto con las dimensiones que le estoy dando? (A. Yáñez, *Mex.*)

40. —Pero anda y descuídate tú, al andar por ahí, y ya verás cómo te marchas a pique en tres días. (R. S. F.)

41. —Y yo he comprendido que o me cuido o deberé atenerme a las consecuencias. (J. Calvo Sotelo)

42. —Por eso me gusta estar lejos de Montevideo..., porque entonces pierdo mis inhibiciones. Estoy segura de que usted, por ejemplo, que me cae tan simpático, me hace cualquier proposición, por más escandalosa que pueda parecerme en Montevideo, estoy segura de que usted me dice algo brutalmente comprometedor y no me escandalizo. (M. Benedetti, *Urug.*)

43. —Se le ocurre eso a una hija mía y la mato. (A. Palomino)

44. —Secreto total, o ésos nos soplan el plan. (A. Berlanga)

45. —Una docena de chatos y te quedas sin el sueño de las cuatro ruedas [=*el coche*]. (L. Olmo)

46. —La herida presentaba un feo aspecto. El agua del mar contribuiría a cicatrizarla. Si no bastaba, un poco de sal y vinagre, y al día siguiente, como nuevo. (J. Goytisolo)

47. —Mil años que vivas, ignorarás lo que ha pasado. (Spaulding, 65)

48. —Es que tienen las manos de trapo. Cigüeñal que cogen, cigüeñal que parten en mil pedazos. (A. de Laiglesia)

49. —Casa que vaya comprando, casa que iré arreglando y vendiendo a un precio más elevado (overheard in Madrid).

50. —Que hay sol, pues todos tan contentos. Que hay lluvia o frío, todos como perros y gatos, y en Andalucía más. (J. G. H.)

51. —Que nos cansamos..., nos quedamos a dormir en algún sitio del camino. (Molincr)

52. —Lo manda él, pues lo hacemos y en paz. (Moliner)

53. —¿Que la mujer trabaja como una burra y no saca un minuto ni para respirar? ¡Allá se las componga! Es su obligación. (M. D.)

54. —¿Que vosotros tenéis ambiciones? Bueno. (D. Sueiro)

5

OTHER STRUCTURAL VARIATIONS

5.0 As well as the variations in verb forms described in Chapter 4, there are colloquial variations of other components of sentence and clause structure. As with the verbal variations, there are two broad types: ellipsis and replacement of a standard component. The components which undergo such variation are: the negative particle *no;* interrogative sentence types and components; intensifiers *(muy, tan, bastante,* and *mucho);* certain types of noun phrases; time and place expressions; certain minor postverbal elements; subordinating conjunctions, and sentence connectors.

VARIATION IN THE USE OF «NO»

5.1 In the following specific environments, colloquial sentences may show ellipsis (5.2), or redundant use (5.3) of the negative particle *no.* (For the ironic use and omission of *no,* see 3.11-3.12.)

5.2

5.2.1 When the verb is preceded by adverbial expressions beginning with *en* and denoting a length of time or, more rarely, a place, a negative meaning may be implied without the use of *no.* In such sentences, other positive elements, such as indefinite adjectives and pronouns *(alguno, algo)* are used rather than their negative counterparts *(ninguno, nada).*

—En toda la noche he podido dormir. (Ramsey, 208)
I haven't slept a wink all night.

—En toda la tarde agarró una rata... (M. D.)
He hasn't caught a single rat all afternoon...

—En mi vida había oído algo tan absurdo. (J. Goytisolo)

—En parte alguna la pudimos encontrar. (Ramsey, 208)

5.2.2 A negative meaning is also conveyed by certain colloquial idioms of indifference consisting of *importar* followed by metaphorical terms like *un bledo, un comino, un pimiento, un pito, tres pitos, un rábano,* etc. (Cf. English expressions like *I don't give two hoots about that.*)

—A mí me importa un pimiento que no estéis casados. (J. G. H.)
I couldn't care less whether you're married or not.

—A mí ese invento ya me importa un comino. (M. M.)

NOTE

Also used with negative (and expletive) force are the constructions *maldito* + article + noun, *maldito lo que* + verb, and *maldito si* + verb:

—A mí me importa maldita la cosa. (Beinhauer, 204)
I couldn't care less.

—Yo no le encuentro maldita la gracia. (Beinhauer, 204)
I don't find it at all funny.

Pasó silbando una bala...
—Compañero, maldito lo que me simpatizan estos mosquitos zumbadores. ¿Quieres que nos alejemos un poco de aquí? (M. Azuela, *Mex.*)
...I'm damned if I like all this buzzing...

—Pero maldito si a él le importaba eso. (J. Cortázar, *Arg.*)
But that damn well didn't matter to him.

*5.3

***5.3.1** Redundant uses of *no* may be found before the second of two terms in a comparison, or in a preference, or, occasionally, as in English, in exclamatory sentences.

—Ella era más feliz entonces que no ahora. (Ramsey, 144)

—Ella se lo sabrá decir a usted mejor que no yo. (Ramsey, 215)

—Es mejor ir a pie que no esperar el autobús. (Moliner)

—Más bien parecía que le llevaban que no que él andaba. (Ramsey, 215))

—Prefiero dar un paseo al aire libre que no meterme en un cine. (Moliner)

—¡Cuántas veces también su abuela no le habría hablado de personas de otras épocas! (T. Luca de Tena)
How often had his grandmother not talked to him about people from other times!

***5.3.2** Also redundant, and potentially ambiguous, is the use of *no* after the conjunction *hasta que (until, unless)* and its synonym *hasta tanto.* (For the use of *mientras no* with a similar but unambiguous meaning, see 5.22.7.)

—No me marcharé hasta que no me echen. (Moliner)
I'm not leaving until they throw me out.

—Hasta que todo no esté arreglado quiero que ella lo ignore. (Ramsey, 215)
I don't want her to know about it until it is all arranged.

—¡Hasta que no presente pruebas, eres inocente! (C. Rengifo, *Venez.*)

—Pues yo tampoco lío el primero, entonces, hasta tanto no fumes tú también. (R. S. F.)
In that case, I'm not going to roll myself a cigarette until you have a smoke too.

5.4 VARIATION IN INTERROGATIVE SENTENCE TYPES AND COMPONENTS

In previous chapters, the following variations affecting interrogative words and structures have been described:

a) the use of additional *¿qué?* and *¿y?* before a question (1.23.1);
b) subject pronoun precedes verb in a question (1.26.2);
c) expletive intensification of interrogative words (1.30.3);
d) interrogative words followed by *ir a* and *haber de* (3.19 and 4.27.1);
e) questions with no main finite verb (4.6).

There are two further sorts of variation which occur in colloquial Spanish: a special interrogative pattern (5.4.1), and the use of colloquial interrogative words and expressions in place of standard ones (5.4.2).

5.4.1 The colloquial pattern *¿qué?* + verb + *que* + verb may be considered, at least from a translation point of view, as an emotional version of *¿por qué?* + verb, denoting impatience or annoyance, and also as a variant for the use of interrogative expletive intensifiers described in 1.30.3. English equivalents are: *why on earth...?* and *what's preventing (him) from...?* Most frequently, the verb following *¿qué?* is *pasar* (or a synonym) or *hacer*.

—¡Bueno! Pero, ¿qué pasa que no entra?
—No sé, papá. Le voy a ir a buscar. (M. M.)
Why on earth doesn't he come in?

—Y tú, ¿qué haces que no te largas, negritico...? (J. Isaacs, *Colom.*)

—Pero, hija, ¿en qué ha estado pensando que no se le ha ocurrido esto? (B. P. G.)

5.4.2 The interrogatives *¿qué tal?* and *¿a qué?* are colloquial variants for *¿cómo?* (or *¿qué clase de?*) and *¿para qué?*, respectively. *¿Qué tal?* may also replace *¿cómo?* + verb (usually *estar, ser,* and *ir*).

—¿Qué tal (estás)?
—Hola, ¿qué tal?

—¿Qué tal tu fin de semana? (J. G. H.)
What was your weekend like?

—¿Qué tal día hace?
What's the weather like?

—¿A qué has venido?
—A aclarar las cosas. (A. B. V.)

NOTES

1. *¿A qué?* forms a common idiom with *venir:*

   —¡No quiero que le hables!
   —¿Pero, a qué viene todo esto, Maribel? (M. M.)
   Why do you bring that up, Maribel?

2. When followed by *ir a* and *haber de, ¿qué?* may function as an alternative for *¿por qué?* (see 3.19).

VARIATION IN INTENSIFIERS

5.5 The number of colloquial variations for the standard intensifiers *muy, tan, bastante,* and *mucho* is very high. In dealing with them, we poach once again on the boundaries of syntax and lexicography. However, since intensifiers are parts of the basic structure of sentences, a fuller knowledge of the range of frequently used colloquial alternatives is necessary for ease of comprehension and translation.

The reasons for the frequent use of intensifiers and for the existence of so many variations in colloquial Spanish as well as for the fact that some intensifiers fall out of fashion, giving way to new coinages (see 5.11) are to be sought in the individual's constant need in informal situations to express a vivid emotional opinion or judgment on the things and actions he describes. This need is also expressed in many other features of colloquial language already illustrated in this manual, but particularly relevant to the categories described in the following sections are the exclamatory sentence types described in sections 3.1-3.9.

As with other colloquial variations, there are cases of both ellipsis and replacement, although the latter type is more frequently found. In sections 5.6-5.15, the material is classified in the following way:

Ellipsis of *tan* (or *muy*) + adjective: 5.6.
Ellipsis of *tan* + adverb and of *tanto:* 5.7.
Ellipsis of *bastante* + adjective: 5.8.
Replacement of *muy, tan,* and *mucho:* 5.9-5.12.
Replacement of *tan* + adjective: 5.13.
Replacement of *muy* (or *tan*) + adjective or adverb: 5.14.
Replacement of intensifiers in reason clauses: 5.15.

5.6 Ellipsis of *tan* (or *muy*) + adjective may occur in the following circumstances:

5.6.1 In sentences where *estar que* + verb phrase indicates an implied degree (*so*...) and a resulting state (*that*...). English translation is often by a stressed present participle (e. g. *I'm* BUR*ning*).

—Estás que revientas de felicidad. (M. V. L.)
You're BUR*sting with happiness.*

—Yo estoy que ardo.

—Me voy al hotel, que mi Cuca debe estar que brama. (J. Cortázar, *Arg.*)
I'm going back to the hotel. Cuca must be HOP*ping* MAD.

—Esta casa está que da asco. (J. A. de Z.)
*This house is in a dis*GUS*ting state.*

5.6.2 In the patterns *ser/estar de (un)* + noun (or, occasionally, + adjective), where the intensification and sometimes a result clause are left unstated but are implied by the intonation. Here the equivalence with *¡qué!* exclamations is often apparent.

—Está de un humor. (possible ellipsis of *tan malo que nadie le aguanta* or, simply, of *tan malo*)
He's in such a mood!/What a mood he's in!

—Es un chico muy bueno, pero es de un pesado. (overheard in Madrid)
He's a very good boy but he's so BO*ring!*

Dimo: —Estoy intranquilo.
Levi: —Dimo, eres de un pesimismo... (J. Salom)

5.6.3 Following a noun (very often the direct object of the sentence) qualified by an indefinite article. In some cases a result clause is expressed, in others it is not.

—Yo le tengo una manía a ese hombre que no le puedo ver. (M. D.)
I dislike that man so much that I can't bear the sight of him.

—Tengo un frío que me muero.
I'm FREE*zing!*

—Vete a la cama, que tienes un sueño que no ves. (Moliner)
Go to bed. You're so tired you can't see straight.

—¡Tiene un reloj! (overheard in Madrid)
What a watch he's got!

—Tengo unas ganas de conocer a esa célebre hermosura. (B. P. G.)
I'm so keen to meet that famous beauty.

NOTE

The noun *borrachera (drunkenness)* and its many familiar and popular synonyms are frequently omitted in speech, which produces a variant of the above pattern like the following:

—Ha cogido una que no se tiene. (J. Polo, 1969, 46)
He's so tight he can't stand up.

5.7 Ellipsis of *tan* + adverb or of *tanto* may occur between a main verb and a result clause.

—Llueve que es una bendición. (Seco, 286)
It's raining so much that it's a delight.

—Huele a cebolla que apesta. (C. J. C.)
There's a terrible smell of onions.

—Corre que se las pela. (J. Polo, 1969, 46)
He's really racing along/He can run like the wind.

5.8 Ellipsis of *bastante* or of *bastante* + adjective may occur between *ser/estar* and *para* + infinitive. Sentences with *(no) ser para* can often be translated as *It's enough to*... or *There's no need to*...; those with *(no) estar para* are equivalent to *I'm not in the mood for*... or *He's fit to*... (For the ironic use of *estar para,* see 3.11.)

—No es para ponerte así, mujer... Que a tu viejo amor le hicieron justicia y lo mataron. (J. A. de Z.)
There's no need to get so upset... They tried your former boyfriend and put him to death.

—¿Pero qué le ha pasao [*pasado*] a esta camisa? ¡Vaya un desgarrón!
—¡Qué barbaridad! ¡Condenados críos! ¡Es para matarlos! (L. Olmo)
«*What have they done to this shirt? What a tear.*»
«*Good God! Damn kids! It makes you feel like strangling them!*»

—Yo no estoy para hablar de tonterías. (A. B. V.)
I'm not in the mood for talking about such stupidities.

—No está el horno para bollos. (idiomatic saying)
It's not the right moment for that.

—Está para que la aten. (V. R. I.)
She's fit to be locked up/She's raving mad.

*NOTE

Related is the pattern where the complement *(tan/muy) digno(s)* is omitted after *ser* when this verb is followed by *de* + infinitive (see 5.11):

—Eran de ver y oír las discusiones y las peleas entre los aspirantes a ocupar el coche. (A. M. de Lera)
You should have heard the.../The arguments... were worth witnessing.

5.9 The simplest (but not the most frequent) form of replacement of the intensifiers *muy* and *tan* is by the repetition of an adjective or adverb. (For the general use of repetition for colloquial emphasis, see 1.29.)

—Estaba rojo, rojo, rojo.
He was very very red.

—En los días largos, largos, que pasé viéndole morir. (Keniston, 145)
On the long, long days that I spent watching him dying.

—Cantaba mal, mal, mal.
He sang very badly.

5.10 Another common colloquial form of intensification is the use of suffixes and prefixes, especially to convey an idea of size or quality, replacing the standard intensifier *muy* (and occasionally *mucho*) and often adjectives like *bueno, malo, grande, pequeño,* and adverbs like *bien* and *mal.* Particularly used with these values (in addition to their other uses) are the suffixes *-ito, -azo* (in Spain, with nouns; in American Spanish, with nouns and adjectives), and *-ísimo,* and the prefixes *re-, rete- (esp. Am. Sp.),* and *requete-.* Other suffixes (e. g. *-ón, -ote*) may be similarly used.

—¡Qué añito! (A. Gooch, 7)
What a terrible year!

—Bueno, ya tenía sus añitos. (F. Ayala)
Well, he WAS *very old.*

—Lo mejorcito; lo peorcito. (Beinhauer, 233 and 239)
The very best; the very worst.

—¿Cuál es tu problema?
—Todavía no lo sé. Pero, desde luego, algo fuertecito. (V. R. I.)
I don't know yet, but obviously something rather serious.

—Es un latazo. No sabe uno qué pasa ni por dónde ir. (J. A. Payno)
It's a damn nuisance. You don't know what's going on or where to go.

—Oye, he pensado un bromazo bueno para la próxima verbena. (A. B. V.)

—Hace friazo. (C. Alegría, *Peru*)

—Pero es valientazo y siempre anda armado. (M. A. Asturias, *Guatemala*)
But he's very brave and he's always armed.

—Es guapísima.

—Era un buen muchacho, grandullón, con los ojos azules. (A. Gooch, 172)
... rather tall...

—Dígale que viene de parte del Sanlúcar. Se llevará un alegrón. (A. Gooch, 170)
... he'll be really pleased.

—¡Qué reguapo estás hoy! (Keniston, 145)

—Se murió rejoven, ¿verdad? (J. M. Lope Blanch, 1971, 429)

—¡Jesús, y que no está Elena satisfecha viendo a la niña tan requeteguapísima! (Ramsey, 162)
My word! Elena isn't half pleased that the girl is so very pretty.

—Y todas las alhajas que lleva son requetebuenas. Nada de fruslerías. (C. R., 81)
And all the jewellery she wears is very expensive. No cheap stuff.

***5.11** To convey an impression of size or quality, a large number of vivid or metaphorical replacements are frequently used for not only the intensifiers *muy, tan,* and *mucho,* but also for the basic adjectives and adverbs denoting size and quality (i. e. *grande, bueno, malo, bien, mal,* etc.).

Since these colloquial replacements may vary according to the region, social class, and generation of the speaker, or according to the level of informality of the dialogue, care should be exercised in observing (directly from speech or reading, or from the more detailed reference works available) the contexts in which these replacements are used.

Whereas English counterparts tend to be single words (e.g. *terrific, terrifically, awful(ly), tremendous(ly), terrible, terribly, great, fantastic, fabulous,* etc.), Spanish colloquial intensifiers are of several form types, as illustrated by the following examples:

a) single words (adjectives and nouns): *bárbaro, bestial, bomba, brutal, cañón, estupendo, fatal, fenómeno, horrores;*

b) prepositional phrases beginning with *de: de aúpa, de bandera, de bigote, de campeonato, de cuidado, de espanto, de miedo, de padre y (muy) señor mío, de tomo y lomo;*

c) expressions consisting of *de* followed by a noun phrase, a finite verb, or an infinitive phrase: *de lo lindo, de (los de) aquí te espero, de no te menees, de chuparse los dedos* (see 5.8 note and 5.19);

d) clauses or elliptical expressions beginning with *que: que para qué;*

e) prepositional phrases, similes, and other expressions beginning with *como: como él solo/como ella sola, como el/la que más, como nadie, como (para parar) un tren,* etc.

—Lo pasamos cañón.
We had a great time.

—Una mujer cañón.
A terrific-looking woman.

—¿Cómo te va?... A mí, estupendamente. Me divierto horrores. (A. de Laiglesia)
How are YOU *getting on?* I'M *having a ball.*

—Esa chica canta bárbaro. (Beinhauer, 229)
That girl is a fantastic singer.

—Tuvimos un éxito bárbaro. (R. Oroz, 288)
We had a terrific success.

Pronunció un discurso brutal. (R. Oroz, 288)
He made a great speech.

—Allí olía fatal por haber en la inmediaciones un estercolero. (Seco, 168)
There was a terrible smell in that area because of a nearby dung-heap.

—Con esta pluma se escribe fenómeno. (Seco, 169)

—El susto va a ser de bigote. (L. Olmo)
They are going to get a tremendous shock.

—¡De campeonato ha sido la [*borrachera*] de hoy! (L. Olmo)
Today we had a monumental booze-up!

—Vamos a hacer una protesta oficial, de padre y muy señor mío. (J. Calvo Sotelo)
We'll make a tremendous official complaint.

—Somos un par de burócratas de tomo y lomo. (A. Marquerie)
We're a real old pair of bureaucrats.

—Tienen un aguardiente que es de chuparse los dedos. (E. Lafourcade, *Chile*)
They have a really delicious brandy.

—Me comía ahora un bocadillo de lomo de esos de aquí te espero. (R. S. F.)
I could just eat one of those terrific steak sandwiches now.

—Tengo un hambre que para qué. (Moliner)
I'm terribly hungry.

—Su hijo es un gandul que para qué. (Moliner)
Her son is a terrific rogue.

—He encontrado una mujer muy buena y servicial. Se llama Dolores. Me lava la ropa, cocina... y prepara el café como nadie. (J. M. Gironella)
... and she makes marvellous coffee.

—Es listo como él solo.
He's extremely clever.

—Es asombroso lo que saben de París; Paquita... conoce tiendas y modistos como la que más. (A. Palomino)

*Note

More restricted to particular verbs, and therefore a matter of lexical interest are:

a) the intensifying expressions *que ni pintado(s)* and *que ni pintiparado(s)*, which accompany verbs meaning *to suit:*

—Te vienen que ni pintados/pintiparados.
They look really great on you.

b) idioms like *salir a pedir de boca (to turn out just right)* and *venirle a uno al pelo (to suit someone down to the ground).*

Also lexical, but cultural and stylistic as well, is the use of comparisons (e. g. *como nadie*, listed above) for a similar intensifying purpose. Often a translation into English will demand a word like *tremendous(ly)* rather than a literal version of the comparison:

Una mentira como una casa (a tremendous lie).

***5.12** The following miscellaneous variants for the intensifiers *muy, tan,* and *mucho* are also found:

La mar de + adjective, adverb, or noun;
Más + adjective, adverb, or noun;
De lo más + adjective;
Un rato + adjective;
Un rato de + noun;
Una burrada }
Una barbaridad } (*de* + noun).

—Un chico de nuestra edad, la mar de divertido. (J. Goytisolo)

—Va a venir la mar de gente. (R. S. F.)

—¡Es más bueno! (Moliner)
He's so good!

—¡Habla más bien! (Moliner)
He speaks so well!/How well he speaks!

—¡Me da más rabia!
I'm so annoyed!

—Me miró de arriba abajo, de lo más asombrado. (M. V. L.)

—Está un rato cansado. (E. Lorenzo, 148)

—¿Han bebido bastante?
—¡Un rato! (E. Lorenzo, 148-149)

—Costó una burrada (de dinero).
It cost a fortune!

*Notes

1. For expletive intensifiers, see 1.30.
2. For the use of *mucho* as a variant for *muy* + adjective in responses, see 4.3.1 note.
3. Following a verb, *lo suyo* may also be equivalent to *mucho*. After the verb *costar*, both *lo mío* and *Dios y ayuda* may replace *mucho (trabajo)*, with the meaning *to be very difficult:*

Aunque es pequeño, pesa lo suyo. (J. F. S.)
... it weighs a ton.

—Así has triunfado.
—Al principio me costó lo mío. (A. Sastre)
Me ha costado Dios y ayuda terminarlo a tiempo.

***5.13** A common variant for *tan* is *así de* (which may also occur as *así* + verb + *de*).

—¿Así de mal intencionada me crees? (Moliner)
Do you really think I'm so unkind?

—Lo que pasa es que como no son creyentes, resultan así de raros. (M. M.)

—Así estarán de secas, con tanto calor, que no eres capaz ni de pasarlas. (R. S. F.)
They must be so dry in this heat that you won't be able to swallow them.

*NOTE

Así de is also used with a gesture of the hands or arms to indicate size (cf. *If was* THIS *big*):

—Me puse tan azorada que se me fueron dos pañuelos preciosos, así de pequeñitos, en la corriente. (F. García Lorca)
I was so flustered that I dropped two pretty little handkerchiefs, this small, into the water.

***5.14** The use of *lo* + adjective or adverb as a variant for *qué* in exclamatory colloquial sentences and reported versions of them has been described separately in 3.3 and 3.4. Such usage is related to, and often difficult to distinguish from, the use of *lo* + adjective or adverb as a replacement for *muy* or *tan* in otherwise standard sentences after prepositions or prepositional expressions.

In this section, general examples of the fairly restricted use of prepositions + *lo* + adjective (or adverb) are offered, leaving the more specialized and more frequent cases involving *con* and *por* (and other constructions) for 5.15.

—Se echó [*la*] siesta a pesar de lo mal que le sentaba. (C. R., 179)
She had a siesta in spite of the fact that this (usually) put her in a bad mood.

—Se alegra de lo bien que salió.
He is pleased that it turned out so well.

—Ahora la carretera está peor, por culpa de los carros y a causa también de lo dejada que la tienen, de lo poco cuidada. (J. F. S.)

*NOTE

The construction *todo lo* + adjective or adverb + *que* + verb in sentence patterns equivalent to English *He may (be) very... but...*, is described in 4.25.3 note. For *con* preceding this structure, see 3.9 note 1.

***5.15** Worthy of separate treatment are the uses of the prepositions *por* and *con* with *lo* + adjective or adverb, and special uses of *tan* and *puro* in equivalent or alternative versions of finite clauses of reason consisting of *porque* + verb + *muy/tan* + adjective or adverb. The following patterns are found:

> *Por (lo) (muy)* + adjective or adverb (+ *que* + verb): 5.15.1.
> *Con lo* + adjective or adverb + *que* + verb: 5.15.2.
> *De (puro)* + adjective (*como* or *que* + verb): 5.15.3.
> *(De) tan* + adjective (+ *que* + verb) *(esp. Am. Sp.)*: 5.15.3.

English translation will normally be by a reason clause containing a standard intensifier (e. g. *because... so...*) or by *because of* followed by a noun phrase.

*NOTE

For sentence patterns containing *con lo* + adjective, with emotional meaning, see 3.9.

*5.15.1

—La quiero por lo buena que es. (N. D. Arutiunova, 1965, 87)
I love her because she is so good.

Era lo de siempre desde su llegada allí, pero no por conocido le molestó menos. (J. F. S.)
It was the same treatment he had received since his arrival but his annoyance was not lessened because he was familiar with it.

... a veces pasaba una semana sin verlo, no por falta de afecto, sino por lo muy atareada que andaba siempre. (Seco, 216)
... sometimes a week would go by without her seeing him, not because she didn't like him but because she was always so very busy.

—¿O vamos a creer que Dios hizo un milagro en Alemania para premiarla por lo bien que perdió la guerra? (C. Maggi, *Urug.*)
Or are we to believe that God performed a miracle in Germany to reward her for making such a good job of losing the war?

—Yo confieso... que el golpe me gusta, por lo bien dado, y me declaro vencido por el viejo... (A. Blest Gana, *Chile*)
I admit... that I like the move because it was so cleverly made, and I declare myself outwitted by the old man.

*5.15.2

—¿Luego qué tal se apañó?
—Pues ya con lo corrido que estaba de la guerra y la edad que tenía, no me podía asustar el mundo. (R. S. F.)
Well, with all that I'd been through in the war and at my age, I wasn't easily put off.

***5.15.3**

—De amables que son, llegan a resultar pesados. Me hacen comer a la fuerza. (A. de Laiglesia)
They're so kind to me that they get on my nerves. They force me to eat.

—Se caían de borrachos. (M. V. L.)
They were so drunk that they were falling all over the place.

—No se sabe de qué color es, de pura sucia. (Moliner)
You can't tell what color it is, because it's so dirty.

—Los buenos maridos son los más fáciles de caer en la tentación. De puro inocentes, ignoran dónde está el peligro. (J. Benavente)

—... [*el inmigrante*] debe adquirir rápidamente los modos usuales que los demás tienen como olvidados de tan sabidos. (C. Maggi, *Urug.*)
The immigrant... must quickly pick up the normal behavior that the natives know so well that they have almost forgotten it.

—Los perros tuvieron suerte, casi ni los tocamos esa vez, tan ocupados que estábamos con los de quinto. (M. V. L.)
The recruits were lucky. We hardly touched them that time because we were so busy with the fifth year cadets.

*Note

The variant *de* + definite article + *puro* + noun (+ *que* + verb) is equivalent to a reason clause containing *mucho* or *tanto* + noun:

—Ni a salir a la calle me atrevía; ni a alternar por el pueblo, fíjese usted, de la pura vergüenza que me daba. (R. S. F.)
Just imagine. I didn't even dare to go out into the street or visit anyone in the village, (because) I was so ashamed.

VARIATION IN NOUN PHRASE STRUCTURE

***5.16** The singular forms of the adjectives *tanto, cuanto, mucho,* and *demasiado* accompanied by a singular noun may be used in place of the plural forms. *Cada* + singular noun may also imply a plural and is usually close in meaning to *¡qué!* + noun.

—Siéntese un rato, mujer.
—Un ratito nada más... Con tanta visita, se cansa una. (A. B. V.)
«Sit down for a while, dear.»
«Just for a little, then... You get so tired with so many visitors.»

—... pero mire cuánta chica guapa hay empleada en este banco. (J. A. de Z.)
... what a lot of pretty girls work in this bank.

—Había mucho niño. (E. Lorenzo, 31)
There were a lot of children there.

—Hoy en día, los jóvenes... Demasiado coche, demasiada moto... Me gustaría veros a mi edad. (J. Salom)
You young people today, you've got your cars, your motorbikes... I'd like to see what you're like when you're my age.

—Tienes cada idea. (E. Sábato, *Arg.*)
You get some funny ideas.

—Oye una cada historia. (Ramsey, 170)
What (terrible) stories one hears!

—Claro que usted y yo conocemos a cada uruguayita, ¿eh? (M. Benedetti, *Urug.*)
Of course, you and I know a lot of pretty Uruguayan girls, don't we?

***5.17** The structures consisting of an adjective or noun epithet followed either by a possessive adjective and a noun or by a name are used as emotional noun phrases. (See also 1.30.1.)

—El tonto de mi hermano. (N. D. Arutiunova, 1965, 91)
My stupid brother.

—El cerdo de nuestro padre es muy listo. (N. D. Arutiunova, 1965, 93)
Our pig/swine of a father is very clever/Our lousy father...

—Es un hombre ejemplar —decían—, un hombre en cuyo espejo deberían mirarse los zánganos de nuestros maridos. (C. J. C.)
«He's a wonderful man», they said, «a man our lazy husbands should compare with themselves.»

—Y a la pobrecita de mi mamá no la he conocido: esa sí que es tristeza.
(S. and J. Álvarez Quintero)
And I never knew my poor dear mother. That is really sad.

—El imbécil de Juan se lo creyó.
That fool Juan believed it.

5.18 The following are colloquial uses of *lo, eso, esto,* and *aquello:*

Lo de *Eso de* *Esto de* *Aquello de*	+ noun or infinitive: 5.18.1.
Eso *Esto* *Aquello*	+ *de que* + clause: 5.18.2.

5.18.1 As a reference to something already known by both speaker and listener or previously mentioned, *lo de, eso de,* and, less frequently, *esto de* and *aquello de,* are used before nouns, names, and infinitives. English translation will be by a similar general or vague reference *(This... thing/business; The business of...)*, a more explicit reference appropriate to the context, or by taking the reference for granted. All three translation possibilities are illustrated in the first example below.

—¿Es verdad lo de Guillermo?
—Parece. (A. Berlanga)
Is this business about Guillermo true?/Is it true Guillermo has been arrested?/ Is it true about Guillermo?

—Aunque lo de las cinco mil no haya dado resultado. (Keniston, 78)
Even if (paying) the five thousand hasn't had any effect.

—Creo que desde el lunes próximo comienzo a trabajar en lo de los americanos. (J. L. C.-P.)
... for the Americans/... at the American base.

—¿Y qué te parece eso de no dejarme ver a mi propia hermana? (Carmen Laforet)
And what do you think of (the business of) my not being allowed to see my own sister?

—Eso del Servicio de Fronteras es más complicado de lo que parece, ¿sabes? (J. M. Gironella)

—Aunque siempre fui muy poquita cosa, soñé con llegar a mucho en esto de la música. (Keniston, 78)

5.18.2 Also used as introductions to clauses containing references to something known by speaker and listener, or to something just mentioned, particularly when the speaker wishes to suggest some sort of criticism of, or reservation about, whatever is referred to, are *eso de que,* and less frequently, *esto de que* and *aquello de que* as variants for standard *el que.* In English: *This (business of) -ing,* etc.

—Eso de que Odría se va a ir, a mí me sabe a subversivo. (M. V. L.)
This rumor about Odría going to resign sounds fishy to me.

—Bueno, en primer lugar, eso de que yo sea el inventor del *boom* es sólo relativamente cierto. (C. Barral)
Well, in the first place, this allegation that I am the creator of the boom is only partially true.

5.19 The demonstrative pronouns and definite articles may be used in the plural preceded by *de* and followed either by a *que*-clause or, less frequently, by a prepositional phrase headed by *de,* as a generic descriptive complement of *ser* or as generic qualifiers of a noun. Schematically, the constructions are:

De { *los* / *esos* / *estos* / *aquellos* } *que/de*

—Ese es de los que se pegan un tiro. (C. Maggi, *Urug.*)
He's the sort of person who is likely to blow his brains out.

Era una polacra vieja de las que transportan el petróleo. (Keniston, 94)
It was one of those old sailing ships that carry oil.

—Escogimos un buen sillón, de esos que tienen en la sala. (R. Rodríguez Buded)

...en un rincón, aburrido, liando un cigarro de esos que apestan. (M. D.)

—... pero a nadie he matado ni he cometido crímenes de esos que honran a los ricos y hunden a los pobres en largos años de condena.
(J. Rubén Romero, *Mex.*)

NOTE

Demonstrative adjectives, when placed after the noun, and demonstrative pronouns are used pejoratively (usually to refer to people):

—No hables con el chico ese.

—¡Vaya con el niño ese! (Moliner)
Damn the kid!

—¿Quién es ése?
Who's that guy?

—Esta no quiere ir.

TIME AND PLACE EXPRESSIONS

5.20 Particularly colloquial are the uses of the following standard conjunctions in a prepositional role: *cuando* + noun or demonstrative pronoun (English: *during, at the time of,* or a time clause), and *donde* + noun or adverb.

—Tú estabas en el mercado esta mañana cuando la descarga, ¿eh?
(A. M. de Lera)
You were in the market this morning during the unloading, weren't you?

—Sí, estabas apenas en la Universidad cuando eso. (W. Cantón, *Mex.*)
Yes. I had only just gone to college when that happened.

—Los tres se pararon donde Daniel. (N. D. Arutiunova, 1965, 111)
The three of them stopped where Daniel was standing/... in front of Daniel.

—¿Dónde has estado?
—Donde siempre, tomando café con mis amigos. (C. J. C.)
In the usual place, having coffee with my friends.

ELLIPSIS OF MINOR POSTVERBAL ELEMENTS

5.21 The following colloquial variants exhibit the common feature of ellipsis of a standard element (*desde* and *bien,* respectively): *a*) *hace* or *hacía* + time expression; *b*) *parecerle a uno* in a suggestion or question.

—Lo estás pensando tú hace días. (Keniston, 180)
You've been thinking about it for days.

—El teléfono está intervenido hace dos semanas. (M. V. L.)
The telephone has been tapped for two weeks.

No había comido hacía ya más de un día. (E. Lafourcade, *Chile*)

Buscaban trabajo hacía tres días, el marido por una parte y ella por otra. (Carmen Martín Gaite)

—¿Te parece que vayamos andando? (M. D.)
What about walking?

—Hace un rato estaba por aquí don Antonio...
—Si os parece, le busco y me lo traigo a charlar un rato. (J. G. H.)
If you like, I'll go and bring him back for a little chat.

—Mañana iremos al liceo a fin de que no pierdas tu curso, interrumpido. ¿No te parece?
—Sí, papá. (E. Barrios, *Chile*)

NOTE

When the time expression precedes the verb, omission of *desde* seems less frequent:

—Hace años me detestan. (F. Benítez, *Mex.*)

5.22 SUBORDINATING CONJUNCTIONS

The following are colloquial variants for standard subordinating conjunctions:

a) *que* for *para que* (following an imperative);
b) *a que* for *para que;*
c) *pues* for *porque;*
**d*) *como que* for *como*, etc.;
**e*) *igual que si* and *lo mismo que si* for *como si;*
**f*) *así* (followed by a subjunctive verb) for *aunque ('even if');*
**g*) *mientras no* for *hasta que* or *a menos que;*
**h*) *a la que* for *cuando.*

*NOTES

1. After *esperar* and *aguardar*, *que* and *a que* are often used as variants for *hasta que* and *para que*:

—Espera que termine.
Wait until I finish.

2. For *que* as a possible variant for *porque*, see 1.4.1.

a)

—Ven que te diga una cosa. (Seco, 285)
Come here so that I can tell you something.

—Trae, que te ayude, hombre. (A. Gala)
Give it to me so that I can help you/Here, let me help you.

b)

—He venido a que me pagues.

c)

—No pude decirlo yo, pues yo mismo no lo sabía. (Moliner)

**d*)

—Como que no lo vas a creer, no te lo cuento. (Moliner)

**e*)

—... es lo mismo que si hablase con las paredes. (M. D.)

—Corre igual que si estuviera cojo. (Moliner)

**f*)

—Así me lo juren, no lo creeré. (S. Gili Gaya, 1969, 322)

—... el oficial... y todos los soldados del pelotón, uno por uno, serán asesinados, sin remedio, tarde o temprano, así se escondan en el fin del mundo. (G. García Márquez, *Colom.*)

**g*)

—No tengo cigarrillos, no señor. No tengo nada para ti mientras no me digas cuándo será. (J. Marsé)

**h*)

—A la que subimos, traeremos las sillas para luego. (Seco, 24)

—¡Qué vida! —exclamó—. Uno no puede confiar ni un segundo. A la que te descuidas, cuerno. (J. Goytisolo)
What a life! You can't relax for a moment. If you lower your guard, you're done for.

CONNECTING ADJUNCTS

5.23 Connecting adjuncts are words or expressions which indicate some kind of logical or emotional link between the sentence, clause, or clause component in which they occur and preceding sentences or clauses. Although, like coordinating conjunctions (e. g. *y* and *pero*), connecting adjuncts indicate an addition or a contrast, they may —particularly in colloquial Spanish— also convey other information. In standard Spanish, *además, también, y por eso, de manera que, de modo que,* and *sin embargo* are examples of connecting adjuncts. Their colloquial counterparts are described below in 5.24 and 5.25. (See also 1.14 and 1.18.)

5.24 As well as signalling an addition to preceding information, the connecting adjuncts described in this section signal the following types of information: a result (5.24.1); evidence of the speaker's attitude (5.24.2 and 5.24.3); a possibility (5.24.4).

5.24.1 A result may be indicated by the following connecting adjuncts, which are equivalent to English *so* or *and so:*

Así que.
Como que.
Conque.
O sea que.
... pues.
Total, que.

—No tenía dinero, así que se quedó en casa.
He had no money, so he stayed at home.

—Mi hermano dictaba a Galán no sé que trabajo... Conque yo no quise esperarlos. (J. Benavente)

—Estoy cansado. Como que me voy a acostar. (Moliner)

—Entré tranquilamente al ascensor, pues, y las cosas ocurrieron como había previsto. (E. Sábato, *Arg.*)

—Total —dijo alzando el porrón—, que mi hermano se fue a vivir con ella. (J. Goytisolo)

—El Soso no va a venir hoy. Se ha ido a la Sierra... a pasar el fin de semana. O sea que vamos a cerrar esto en seguida y nos vamos, ¿de acuerdo? (D. Sueiro)

5.24.2 The following colloquial variants for the connecting adjunct *además* frequently indicate an emotional bias on the part of the speaker toward the additional information in the clause or sentence and also indicate that he expects the listener's sympathy or agreement:

Para remate.
Para postre.
Para colmo.
Por si (esto) fuera poco.
Para acabar de arreglarlo.

English equivalents are: *and what is more; and to cap it all; and to put the lid on it; and as if that wasn't bad enough,* etc.

—Oh, yo no puedo soportarlo más, Andrea. Papá no ha vuelto a escribirme, no sé nada de él y, por si fuera poco, hace meses que no nos ha enviado ningún giro. (J. Marsé)
I can't stand it any longer, Andrea. Father hasn't written to me, I don't know where he is, and, to cap it all, he hasn't sent us any money for months.

—Para postre, se nos apagó la luz. (Moliner)
And, to make matters worse, the light went out.

—Y ahora, para colmo, se ha puesto enferma su mujer. (Moliner)

NOTE

por más señas is another colloquial variant of *además,* but does not usually convey the emotional information illustrated above:

—Tiene un lunar en la frente, por más señas. (Moliner)
She also has a beauty spot on her forehead.

***5.24.3** With the adjuncts *igual* (which is particularly used with the verb *poder*) and *lo mismo,* the speaker may point out an additional *possibility.* (See also 4.16.2.)

—Igual pude proyectar un rascacielos y no lo hice.
(*Informaciones,* Alicante, 28-3-73)
I could also have planned a skyscraper, but didn't.

—Pero igual podría ser un canalla. (A. B. V.)
But he could be a swine, too.

—¿Ve usted cómo viene? Todo roto y hecho un Adán. Mire usted qué rodillas. Si le pusieran traje de hierro, lo mismo lo rompería. (B. P. G.)
Look at the state of him! His clothes all torn and looking a pretty sight. Just look at the knees of his trousers. If he wore a suit of armour, he'd ruin it just the same.

*NOTE

Both *igual ... que* and *lo mismo ... que* are colloquial variants for the standard coordinating device *tanto ... como (... as well as...):*

—La verdad es que lo mismo encuentra tiempo para chismorrear que para ponerse en ridículo con Pedrito Atienza, quince años más joven que ella y treinta y cinco que su marido. (J. Calvo Sotelo)

The colloquial uses of *igual* and *lo mismo* described in the above section and in 4.16.2 are extensions of this coordinating function to indicate a hypothetical contrast and with the ellipsis of the second item (i. e. *que* and its clause).

***5.24.4** Another connecting adjunct with emotional content is *y no digamos*, which is used to add or insinuate an important addition (in the form of a noun phrase or an adverbial expression) to what has been said. By using this adjunct, the speaker implies that the additional information is so obvious and plainly relevant to his point or argument that it is almost superfluous or embarrassing to mention it, since the listener's agreement is assumed to be a foregone conclusion. English versions for *y no digamos* are: *not to mention; and especially; and of course; and what about...?*

> —... que te metías conmigo cada vez que iba a los suburbios a repartir naranjas y chocolate..., y no digamos la tarde que se me ocurrió ir con Valen al Ropero. (M. D.)
> *... you always criticized me when I went out to the poor areas to distribute oranges and chocolate... and what about the afternoon I decided to go to the second-hand clothes depot with Valen?*

> ... cuando consideramos que su importancia es capital para todo extranjero que intente hablar nuestra lengua a un nivel de cultura aceptable, y no digamos para aquellos que pretenden llegar a ser especialistas en español.
> (R. Fente Gómez *et al*, 1972a, 5-6)

5.25 Other colloquial adjuncts add a subjective attitude to sentences containing contrastive information.

5.25.1 Although close in contrastive function to *Y mira/mire que* and *Y cuidado que* (see 3.7.1), the very common connecting adjunct *Y eso que* *(And yet)* lacks their exclamatory force and implied intensification. The emotional content of sentences, or clauses, containing *Y eso que* is one or regret, surprise, and the like.

> —¿Cuánta luz ha pagado este mes?
> —Dos sesenta. ¡Un disparate! Y eso que procuro encender lo menos posible... Pero nunca consigo quedarme en las dos pesetas. (A. B. V.)
> «*How much was your light bill this month?*»
> «*Two sixty. An awful lot. And yet I do try to use as little electricity as possible. But I never seem to keep it under two pesetas.*»

> —Ahí viene, y eso que le dije bien claro que esperara. (Ramsey, 121)
> *There he comes, and yet I told him quite plainly to wait.*

5.25.2 Another group of common connecting adjuncts, when not used as vague conversational padding, suggest that the preceding information should be disregarded or that its importance or relevance is to be reduced. Other information in the sentence containing the adjunct suggests why this modification should take place. (When the adjuncts are used alone in an apparently unfinished sentence, this information is implied.) If these adjuncts are compared with those described in 1.14, it will be seen that, although both groups may be used to introduce contrastive information, only those listed in 1.14 may be used *independently* of other sentences or information and therefore do not always function as links. Commonly used are:

Ahora, que. *Así y todo.* *De cualquier forma.* *De cualquier manera.* *De todas formas.* *De todas maneras.* *De todos modos.* *En cualquier caso.* *En todo caso.* *Pero, en fin.*	*All the same.* *Anyhow.* *Anyway.* *At any rate.* *(But) still.* *In any case.* *Just the same.*

—Te lo agradecemos mucho.
—Eso no es nada. Aún quisiéramos hacer mucho más.
—Ya habéis hecho bastante. Gracias de todos modos. (A. B. V.)

—¿Adónde va usted?
—Voy a ver cómo sigue mi hermano.
—Es mejor dejarle descansar.
—De todos modos, quiero entrar a verle. (M. M.)

—¿No hay nadie?
—Sí, pero están durmiendo la siesta. ¿Es urgente?
—No es urgente.
—De todas maneras, puede usted llamar. En la primera puerta, a mano izquierda. (J. G. H.)

—Hijo mío, usted tiene de la Iglesia unas ideas... muy particulares.
—Son, en todo caso, las que ustedes me enseñaron. (J. L. Martín Descalzo)

—¡Qué alegría oírle! Pero, en fin, ha llegado el momento, creo yo, de que también nosotros hablemos claramente. (J. Calvo Sotelo)

—Claro que la infeliz tiene una idea muy modesta del ferrocarril. Pero, en fin... (V. R. I.)

Of course, the poor girl has a very limited idea of what the railway is. But still... [*it doesn't matter/what can we do about it?*]

SUPPLEMENTARY EXAMPLES FOR STUDY AND TRANSLATION

A

1. —En todo el año ha hecho tanto frío como hoy. (Ramsey, 208)
2. —... si te oye, se ofende.
   —Que se ofenda o no, me importa un comino. (J. Goytortúa, *Mex.*)
3. —¡Cada uno tiene su punto de vista y le importa un pito el punto de vista de los demás! (C. Gorostiza, *Arg.*)
4. —Hola, ¿qué tal?
5. —¿Qué tal viaje tuviste?
6. —¿Qué te trae por aquí?
   —Supongo te lo figurarás.
   —Si no me lo dices, no.
   —De sobra sabes a qué vengo. (J. A. de Z.)
7. —¿No tienen ustedes calor?... Yo estoy que ardo —se quejó Leandro. (A. M. de Lera)
8. —Por la noche hacía un frío que te helabas. (J. F. S.)
9. —Mira lo que ha hecho ese niño. Es para matarle.
10. —Yo no estoy para bromas. (A. Gala)
11. —¡Qué nochecita hemos pasado en el tren!
12. —Allí no hace este calorazo. (A. Gala)
13. —Ese médico parece que vale, ¿no?
    —Vale, sí. Es un muchacho buenísimo. (Elena Quiroga)
14. —¡Qué requeterrico vino! (F. García Lorca)
15. —¿Qué tal, amiga?
    —Ai [*sic*]. ¿Y tú?
    —Pues re mal. Anoche no hice nada. (L. G. Basurto, *Mex.*)
16. —Lo de su hija es peor de lo que creían.
17. Con lo que le dieron por el seguro de su marido pensó comprarse un taxi, pero después prevaleció el sentido común y se compró un arpa...
    —Lo del taxi no me hubiera traído más que complicaciones, ¿verdad, usted? Esto de los taxis es un negocio muy complicado. (C. J. C.)
18. —Y les he pedido la dirección para escribir a Gracita.
    —¿Y qué te han dicho a eso de escribir a la niña?
    —Les ha parecido muy bien. (J. L. C.-P.)

19. De otro lado, don Nicolás era uno de los vecinos más antiguos de Aracataca, testigo de la época de oro, cuando el auge del banano. (G. García Márquez, *Colom.*)

20. —A las cuatro, donde siempre; ¿te parece? (L. Olmo)

21. —Lo tiene hace dos semanas. (J. Cortázar, *Arg.*)

22. —También dice que se va... Está diciendo que se va hace cinco años. (A. Grosso)

23. —Me duele el oído.
—Ven que te lo vea.

24. —Aguarde usted que le ajuste la cuenta. (Seco, 285)

25. —Me iré, pues os molesta mi presencia. (Moliner)

26. —En su casa, por tanto, no se empezará a alarmar hasta eso de las once. Total, que hasta esa hora no descubrirán nada. (M. M.)

27. —La han botado del empleo por mi culpa... Y, por si fuera poco, nos despidieron del departamento. (A. Grosso)

28. ... pero perdió a su hijo Manolo, que no quiso ser abogado y huyó a Alemania, y eso que parecía manso y abúlico. (A. M. de Lera)

29. —Hace pocas tardes, en una reunión de amigas, todas reconocieron que, para los años que tengo, conservo mi cutis estupendo, y eso que no me doy más que una crema limpiadora al ir a la cama. (J. A. de Z.)

30. —Entonces, nadie puede saber que estamos aquí.
—Nadie.
—De todos modos, hay que tener cuidado. (A. Sastre)

31. —De todas formas, habrá llegado tarde a la oficina.
—No crea. Tardo en llegar seis minutos. (C. Muñiz)

B

EXERCISE 1. SECTIONS 5.0-5.15

1. —En mi vida he visto tantas telarañas. (Ramsey, 208)

2. —Muchachos, Pedro se refiere a mi "turbio pasado". Si es que queréis saberlo, yo...
—Tu turbio pasado me importa un bledo. Déjanos en paz. (A. Sastre)

3. —Prefiero que te estés durmiendo que no que trabajes de mala gana. (Moliner)

4. —¡Qué no daría yo para poseer una voz tan maravillosa! (Ramsey, 214)

5. —¡A cuántas no se lo habré dicho! (J. Benavente)

6. —Hasta que no me devuelvas el libro no te daré el tuyo. (J. D. Luque Durán, I, 85)

7. —Bueno. ¿Qué hacéis que no continuáis hablando? ¿Qué importa que esté yo aquí? (Carmen Laforet)

8. —¿Qué te sucede que así bufas?
—¿No lo ves? ¡Que estoy contento! (S. and J. Álvarez Quintero)

9. —¿Sabes que Lorencito termina el Bachillerato este año?
—Hombre, ¿y qué tal?, ¿es buen estudiante? (J. A. de Z.)

10. —Pero, Amadeo, ¿a qué viene negar que formaste parte del gobierno rojo? ¿Que eras un mandamás? (J. G. H.)

11. —¿No veis que el tal Kennedy es un flojo y los americanos están que se mueren de miedo? (J. L. C.-P.)

12. —Son cerca de las diez y la pobre 'Linda' estará que se muere de hambre. (J. A. de Z.)

13. —Al final de la película estaba yo de un vinagre. (J. L. Martín Vigil) [*vinagre*=euphemism for *mala leche*].

14. —Siempre viene con excusas, pero te habla con una educación y unas buenas maneras, que es imposible contestarle. (R. Rodríguez Buded)

15. —¡Están riquísimas! [*las tortas*].
—¡Ah! ¡Doña Celia tiene una mano! (S. Eichelbaum, *Arg.*)

16. —Cocina que es de chuparse los dedos —dijo Valentina—. Es una lástima que quiera ser costurera. (G. Casaccia, *Paraguay*)

17. —... mira, fíjate, por favor, la muy cochina. Era para haberle dado una patada en el trasero. (F. Ayala)

18. —¿Termina bien esta novela?
—¡Cállese la boca! No estoy para novelas. (R. Marqués, *P. Rico*)

19. —¿Cómo estás?
—Malísima..., muriéndome, cada vez peor... (J. Benavente)

20. —Habló después Castelar. ¡Qué discursazo! (A. Gooch, 202)

21. —¿Quién te ha dicho que saber quién fue Noab signifique cultura? Se puede ser un memorión y ser un ignorante de tomo y lomo. (J. M. Gironella)

22. —Es que... quiero darle un parabién bien dado..., una enhorabuena de padre y muy señor mío, para que le quede memoria de mí y de lo muy contento que estoy por su triunfo. (B. P. G.)

23. —Aún no sé quién me empujó en el agua, pero tengo un moratón en una cadera que para qué. (M. D.)

24. —Lo siento por los aguafiestas, por los amargados..., por los que, al ver al prójimo pasándolo bomba, en lugar de sentirse invitados se consideran excluidos... (A. Palomino)

25. —Pues un día saqué a bailar a la de la falda de cuero y se me dio fenómeno. (F. Umbral)

26. —Yo podía retirarme, y ese lugar es que ni pintado. (J. Corrales Egea)

27. —Pero acabe usted de contarme, que de mis cosas no quisiera ni hablar... ¡Estoy más harta! (J. Benavente)

28. —Es un agua cristalina, ¿verdad?
—Sí, hijo, la mar de cristalina. (C. J. C.)

29. —No es mal chico. ¡Eso sí, presumido, un rato! (J. A. Payno)

30. —¿A que no sabes lo que ahora me viene a la memoria?
—No.
—La primera caja de bombones que le enviaste a Pilar. Era de lo más cursi. En la tapa había una orquídea en forma de corazón. (J. M. Gironella)

31. —Ha venido Angélica esta tarde y he vuelto a perder tontamente más de media hora de estar con ella... ¡Me da más rabia! ¿Por qué seré tan nervioso? (E. Barrios, *Chile*)

32. —¡Y si vierais lo bueno que es! ¡Un bendito! Callado, humilde y trabajador como nadie. (M. M.)

33. —Así eres tú capaz de pegarle como yo de pegarte a ti. (Moliner)

34. —Se lo dije yo, don Pedro, yo se lo dije. Me sacó una navaja así de grande. Se me heló la sangre. (L. Martín-Santos)

35. —¿De qué se ríe?
—De lo bellaco que eres. (R. Gallegos, *Venez.*)

36. —Por lo franca, no sabía ocultar las impresiones. (Keniston, 117)

37. —¿Y cómo está Isabel?...
—Figúrese usted; el golpe ha sido terrible, por lo inesperado y por lo inexplicable; por todo. (J. Benavente)

38. —Lego las seis cajas de puros... a mi fiel servidor Romualdo González, en prueba de agradecimiento, por lo bien que me sirvió en vida y para librarle de la tentación de fumarse alguno a mis espaldas. (J. Calvo Sotelo)

39. —Temo que nuestra felicidad, de tan pura y hermosa, se nos pueda romper y apagar. (J. A. de Z.)

40. —¡Miren sus vestidos! Se caen de viejos. (R. Rodríguez Buded)

41. —... los poetas... nos comunican las más irrazonables cosas..., y resultan las más profundas.
—¿Y las dicen de puro inocentes? ¡Caramba, mi señor don Juan, no se envuelva. (E. Barrios, *Chile*)

42. Se rió, más para enseñar sus grandes, redondos dientes blancos, que parecían postizos encima de la encía rosada, de tan parejos que eran. (G. Cabrera Infante, *Cuba*)

43. —No me hables de las hijas del notario. Si me miraban con descaro y con susto, fue de puro tontas. (Ramsey, 573)

EXERCISE 2. SECTIONS 5.16-5.25

1. Le resultaba difícil a Mosén Roque entender a tanta mujer junta. (Mercedes Salisachs)

2. Estaba suscrita a cuanta revista de modas, información artística y música popular se publicaba en Europa. (G. García Márquez, *Colom.*)

3. —Bueno, amigo don Lucas, hay cada chavala que viene al concurso que quita la cabeza. ¡Verá usted; la número trece es algo despampanante! (J. A. de Z.)

4. —¡Le daba cada bofetada a la niña...! A la pobrecita se le saltaban las lágrimas. (C. R., 268)

5. —Si ese loco de Martín pudiera, haría todo cuanto dice. (N. D. Arutiunova, 1965, 93)

6. —Para vengarse, se está haciendo cortejar por el imbécil de García. (Keniston, 139)

7. —Insistía en lo de Montevideo.
—Es idiota, no tiene un centavo. (J. Cortázar, *Arg.*)

8. —Han cerrado todas las facultades por lo de ayer. (A. Berlanga)

9. —Creo que eso de las castas es malo, entre otras razones, porque siempre tropieza uno con una casta superior, lo que lo obliga, un día u otro, a arrodillarse ante alguien. (J. M. Gironella)

10. —No fuman, no beben y hacen su propaganda como todos.
—Bueno, eso de la propaganda lo hacen muchos. (J. F. S.)

11. —Pero eso de llamar perro a nuestro querido general es un insulto para los perros. (G. Casaccia, *Paraguay*)

12. —Porque esto de su hijo de usted, lo que piensa hacer..., es una locura. (J. Benavente)

13. —¿Cómo andan las cosas en provincias?
—Todo tranquilo; eso de que el Apra controlaba el Perú era un gran cuento. (M. V. L.)

14. —¿Tú no has visto ninguna [*película*]? De esas que te dan gafas al entrar. (M. M.)

15. —Yo le aconsejé varias veces que se fuera a un buen sanatorio, de esos que hay junto al mar, en Levante. (J. López Rubio)

16. Cuando la retirada, todo lo que quedaba inútil lo iban dejando en la cuneta: camiones, coches pequeños, bicicletas, todo. (J. F. S.)

17. —¿Piensas hacer algo?
—¡Sí! ¡Iré donde un funcionario público! ¡Pondré mi denuncia; estoy seguro que hará algo! (C. Rengifo, *Venez.*)

18. —Porque si yo no he salido a la calle hace sesenta años, desde que me quedé viuda, no ha sido por capricho, sino porque me daba vergüenza... (M. M.)

19. —No veía a Hortensia hacía tres días. (M. V. L.)

20. —Es temprano para ir a ningún sitio. Si te parece, nos meteremos en cualquier cine, a hacer tiempo. (C. J. C.)

21. —Trae, que te lleve esa bolsa.
—No, de ninguna manera. (J. G. H.)

22. —Bueno; yo ya estoy arreglada. Un segundo, que coja el abrigo y la maleta. (J. Calvo Sotelo)

23. —Más que profesionalmente, pudiéramos decir que vengo en visita de cortesía, pues doña Paula se encuentra en perfecto estado de salud. (M. M.)

24. —Vas a hablar de dinero. Aparentemente, es tu fuerte.
—Es lo mismo que si te dijera que ésa es tu debilidad. (Luisa J. Hernández, *Mex.*)

25. —Y así me lo jures en cruz, nunca me llegaré a creer que... se conformase con una cerveza y unas gambas. (M. D.)

26. —Bueno, bueno, ¡no se ponga usted así! Por mí, que no se prive y que toque lo que le dé la gana. ¡Mientras los vecinos no protesten! (C. J. C.)

27. —Digo yo que, a la que vuelvo con el parte, podría llevar el crío al primer puesto de sanidad. (A. B. V.)

28. —Llamé a los alcaldes, los apremié, les metí el resuello en el cuerpo. Total, que saqué una millonada que se habría perdido sin mí. (B. P. G.)

29. —Por si fuera poco, la muy torpe hablaba de forma que el marido pudiera oírla sin esfuerzo. (J. Goytisolo)

30. —¡Qué más da! Sin ellos se hace la revolución lo mismo. (Elena Quiroga)

31. —Igual te podías haber roto la cabeza. (Moliner)

32. —Lo dices porque eres jefe...
—Igual lo diría si no lo fuera. (L. Spota, *Mex.*)

33. —Recuerde que en esta casa cualquier pequeño detalle puede ser una catástrofe. Muchas vidas están pendientes de nosotros, pero el camino está lleno de peligros; y lo mismo podemos merecer la gratitud de la humanidad que ir a parar todos a la cárcel esta misma noche. (A. Casona)

34. —Y si le preguntas por mecheros americanos o por lo que sea, lo tienen. Ahí, en el carrito..., lo mismo puedes comprar una lata de gasolina, que un bote de nescafé, que una botella de whisky. (J. L. C.-P.)

35. —Como verá usted —dijo el doctor...—, aquí carecemos de todo. ¡Y en el manicomio, no digamos! (J. M. Gironella)

36. —Nunca he podido acostumbrarme a esta clase de viajes... Y eso que ya hubiera podido acostumbrarme, pues estos últimos meses he estado viajando casi diariamente a Areguá. (G. Casaccia, *Paraguay*)

37. —Tenía que haberte escrito uno de estos días..., pero, con esto del tío, se me pasó. De todos modos te hubiera puesto unas letras antes de marcharme. (J. F. S.)

38. —Nunca fui lo que se dice un estudiante aventajado; me gustaba mucho el café y las chicas. Pero, así y todo, fui aprobando materias hasta que llegué a quinto año... (R. M. Cossa, *Arg.*)

39. —Dicen los músicos que si les manda un trago para calentarse.
—Esos siempre andan fríos. Pero, en fin..., dáselo. (L. G. Basurto, *Mex.*)

6

SUPPLEMENTARY EXAMPLES FOR STUDY AND TRANSLATION

A

1. —Pero, Lolín...
—¡Déjame!
—¡Chica!
—¡Que me dejes!
—Bueno, bueno. (V. R. I.)

2. —No diga usted esas cosas, don Augusto.
—¡Cómo que no las diga! (M. de Unamuno)

3. —¿Te gusta La Fontaine?
—¡Uf!
—Me alegro. Bueno, pues ahora lo lees tú en francés y luego lo traduces al castellano...
—¿Quién? ¿Yo?
—¡A ver!
—¡Quia!
—¡Mónica! ¡No seas rebelde! (V. R. I.)

4. Pero, en este caso, ¿por qué no decirlo directamente, sin herirla...? Al fin de cuentas, mi conclusión de que ella era amante de Hunter, además de hiriente, era completamente gratuita; en todo caso, era una hipótesis, que yo me podía formular con el único propósito de orientar mis investigaciones futuras. (E. Sábato, *Arg.*)

5. La señora del Alfa [=*car*] tenía una sobrina llamada Bruna, a quien me presentaron un día en Puerta de Hierro.
—De modo que eres amigo de tía Victoria. (F. Umbral)

6. *(Hay una pausa embarazosa entre los dos hombres.)*
Obedot: *(Repentinamente.)* —¡Así que ama usted a mi hija!

Castro: *(Seguro.)* —Sí, señor.
Obedot: —¡Ajá! (S. Salazar Bondy, *Peru*)

7. —Pues si se te ocurre algo, llamas. La campanilla no hay quien la haga sonar. Te asomas a la puerta y me das una voz. (B. P. G.)

8. —O sea, ¿cada día, sistemáticamente, estudias?
—Hombre..., menos los sábados...
—Y los domingos.
—Es que los sábados es cuando hay más animación en el pueblo. (R. Sala, 2)

9. —Prefiero ir sola —confesé con aspereza.
—No, eso sí que no, niña... Hoy te acompaño yo a tu casa. (Carmen Laforet)

10. —Esto es lo que quiero que comprendas.
—Si ya te entiendo, hombre. (R. Rodríguez Buded)

11. —Conque, ¿qué ha sido hoy de su vida de usted?
—Primeramente, me levanté muy temprano, serían las siete; por cierto que estaba muy nublado; yo creí que llovería todo el día... (J. Benavente)

12. —Pedro, ¿quieres callarte?
—¿Qué te pasa? ¿Es que no puede uno cantar?
—No. Canta lo que quieras... Pero es que ésa... es la canción que cantaba a veces el cabo Goban. Y no me gusta escucharla. (A. Sastre)

13. —Lo que quiero decir es que estos americanos aborrecíos parece que no comen más que de latas y bolsas de plástico. (J. L. C.-P.)

14. —¿Es que tienes algo contra mí?
—No es eso. Es que quiero consultarte algo muy serio...
—Vaya, no será tanto.
—Sí lo es. (J. L. C.-P.)

15. —¿Quiere usted acompañar a la hermanita? Yo me encuentro tan fatigada...
—Pues no faltaba más... Para eso estoy aquí. (M. M.)

16. —Cuando terminemos de trabajar, yo me iré al otro chalet.
—De ninguna manera —dijo Melgarejo—. El Mayor puede dormir en el otro chalet y nosotros nos quedamos aquí. ¿Por qué va usted a dejar su propio cuarto? ¡No faltaba más! (E. Anderson Imbert, *Arg.*)

17. —O sea, que ha venido a amenazarme.
—Nada de eso, al contrario. (M. V. L.)

18. —¿Y tu padre? ¿No os ha acompañado?
—¡Ca, hijo! No ha podido, el pobre. (F. González Ollé, 25)

19. —Pero ¿qué te pasa? ¿Será verdad que has venido a detenerme?
—Nada de eso, Canela. He venido a saber qué tal estás. (J. M. Gironella)

20. —Por Dios, hombre, no seas así... Mira que te perjudicas. Eres como los chiquillos. (B. P. G.)

21. —¡Y las revistas, lo que se gasta, Dios mío, en revistas! (J. Marsé)

22. —¡Si yo tuviera tiempo para hacer tapetitos! ¡Con la falta que nos están haciendo en el convento! (M. M.)

23. —¡Menuda envidia les dará a mis amigas cuando sepan que vamos a la capital! (A. de Laiglesia)

24. —Yo ya sabía que la abuela se moría, cómo no lo iba a saber... (Carmen Martín Gaite)

25. —Buenas tardes... Usted no será Juan, ¿verdad?
—No, señor... ¿Por qué iba a ser yo Juan?
—Porque estamos esperando a Juan. (M. M.)

26. —Y no te enfades. Nada de ponerse así, como si te propusiese un atraco en el Banco de España. (J. Calvo Sotelo)

27. —Pero si estás llorando, Arturo...
—¿Y qué?
—No te enfades.
—Si no me enfado. (A. Sastre)

28. —¿Y mi tío?
—Ha entrado en la alcoba.
—¿A qué? (M. M.)

29. —Vamos, Teresita, hija mía. No es para tanto. Ven aquí. Vamos.
—¿Qué sucede?
—¡Qué ha de suceder! Lo de siempre. Que, al pasar por su cuarto, sus hermanos la vieron rezando y se burlaron de ella. (J. Benavente)

30. —Oiga, ¿y si me sale a abrir la puerta alguien que no sea la señorita?
—¡Ah, es verdad! Si te sale a abrir otra persona, pues nada, dices que te has equivocado. (C. J. C.)

31. —De regreso a casa me llegué donde el Efrén y le dije que a ver si puede estar a las nueve en el salón para abrir, y que avise al Gallito y a los otros dos. (M. D.)

32. —... ¿Quién será? A ver si va a ser...
—No creo. ¡Qué pesimista estás hoy! Te has puesto pálido. (J. M. Rodríguez Méndez)

33. —Vengo —dijo él casi sin aliento— a que nos den la enhorabuena. (B. P. G.)

34. —Bien, ya lo sabes... Como sepa estás en su casa, voy y te traigo por una oreja.
—Soy mayor de edad y libre de hacer lo que me dé la gana. (J. A. de Z.)

35. —No es nada de importancia.
—Me habrá llamado por algo. (R. Rodríguez Buded)

36. —Entonces ¿por qué se le ha escapado la palabra?
—¡Qué sé yo! Habré querido decir otra cosa, estaría distraído. (A. Marquerie)

37. —Ya veo que es imposible... En mi vida habré hecho un sacrificio más inútil... Sólo quiero advertirte que te vas a meter en un lío tontamente. (R. Rodríguez Buded)

38. —Es horrible. Y doña Rosalía está que echa chispas. Qué mujer más odiosa. (J. M. Rodríguez Méndez)

39. —¡Llamar! ¿A qué voy a llamar? A que me respondan lo de siempre: "No sé." (Keniston, 78)

40. —¡Bravo! Entonces, sigue estudiando. No importa. De todos modos, ya sabes que nunca te faltará mi apoyo. (V. R. I.)

B

Exercise 1

1. —... ¿no la oístes [*sic*]?
—Oírla, sí la oí. (J. Goytisolo)

2. —La señora de la mesa de al lado se llama Serafina, pero desde que se quedó viuda se firma Olga.
—¿Y qué firma?
—No, como firmar, no firma nada; es sólo una manera de decir las cosas. (C. J. C.)

3. —Yo le acompaño algunas veces... ¡Eso sí, tirar, nunca tiro! (Ramsey, 355)

4. —... haces un examen, parece que lo tienes bien, y te pone hasta un cinco, o un cuatro.
—Puntuar, puntúa lo exacto. (R. Sala, 52)

5. El chino es la lengua viva más vieja del mundo. Hace tres mil quinientos años se escribía ya. Hablarse, naturalmente, se hablaría desde siempre. (*Ya*, 15-3-73)

6. —Y, además, como yo sé que me quieres tanto, con tal fidelidad. Como yo a ti, no creas. (Carmen Laforet)

7. —También yo espero cosas, no creas. Dentro de poco... han prometido regalarme ¡una colección completa de *La Esfera*! (A. B. V.)

8. —Bueno, señor... Pues usted me dirá...
—Que yo le diga, ¿qué?
—¿Cómo que qué? Lo que me tenga que decir...
—¡Pero si yo no tengo nada que decirle!
—¿Para qué ha venido entonces? (M. M.)

9. —Tampoco debe ser muy agradable, que digamos, plantarse en una esquina a las tres de la mañana y [*estar*] así toda la noche. (M. D.)

10. —De modo que usted no sabía de quién se trataba...
—¡Y yo qué iba a sabé! (J. Corrales Egea)

11. —¿Hace mucho que no ves a... Ferrer Díaz?
—Anoche. Va a menudo al café. Por cierto, que estaba contento el bueno de Carlitos Ferrer. (A. B. V.)

12. —A propósito, ¿me dice usted, señora, quiénes son aquellos cuatro caballeros vestidos de uniforme que están allí? (J. Mármol, *Arg.*)

13. —Me duelen tus recelos, Lola, para que lo sepas. (M. D.)

14. —¿Y si me multan?
—Pues se paga y en paz. (J. L. C.-P)

15. —¿Qué? ¿Nos animamos? (J. Calvo Sotelo)

16. —Pero, bueno, generales hay muchos, creo, en España. (R. J. Sender)

17. —¿Quieres tomar algo? Leche no queda, pero te puedo dar una copita de anís. (A. B. V.)

18. —Si es que este balance no hay Dios que lo cuadre. (F. Umbral)

19. —Crea usted que en algunos sitios la reciben a una con unas caras... ¿Usted no se sienta?
—No.
—Pero lo que es aquí, es una bendición del cielo. Su papá de usted es tan amable. (S. and J. Álvarez Quintero)

20. ... ¿es que alguien puede dudar que si no nos lanzamos a la guerra o si la hubiéramos perdido, España no sería desde entonces un país comunista? ¿Y acaso los países comunistas tienen independencia política? (*Informaciones*, Madrid, 8-6-73)

21. Galli llegaba a casa como a terreno conquistado, sonriendo, muy tostado, con su bigotito como un hilo y los ojos tan claros... Como guapo, era muy guapo... (M. D.)

22. —Es que quiero que vengas tú, también.
—¿Yo a un cocktail? ¿A santo de qué? (M. M.)

23. —¡Anda, qué tío, pues esto sí que tiene gracia! ¡Con esa cara! Oye, ¿y por qué regla de tres no quiere pagar? (Sara Suárez Solís, 181)

24. —¿Conque era verdad lo que nos habían dicho, que pensabas marcharte desde aquí, sin volver a Madrid siquiera por unos días, sin despedirte de nosotros?
—¡Sin despedirme, no; hubiera ido a veros. (J. Benavente)

25. —Burgos, para nosotros, debe ser como si no existiera. ¡Borrado del mapa! ¿Entendido?
—¡Me lo vas a decir a mí! (M. M.)

26. A: —¿Y si me mareo, y me lo roban?
B: —¡Huy! ¡Menuda publicidad!
C: —¡Fíjese!
D: —¡Quite, que ya tenemos demasiada! (V. R. I.)

27. —La verdad es que no creo sea por mí por lo que ha dejado de visitarles a ustedes.
—Ni mucho menos. (J. A. de Z.)

28. —Arréglate. Va a venir Santana y estamos invitados a cenar con él.
—Ni hablar. Pero que ni pensarlo. (J. M. Rodríguez Méndez)

29. —Lo que tienes que pagar, tal vez pueda aplazarse por unos días, mientras que lo mío...
—Qué más quisiera yo. (B. P. G.)

30. —¿Qué tienes?... ¡La cara que traes, hijo, por Dios! ¿Te ha sucedido una desgracia?
—Tanto como eso, no. (E. Barrios, *Chile*)

31. —¿Así que usted cree en la inutilidad de mi proposición?
—Tanto como en la inutilidad..., pero sí que va usted a tomarse un trabajo inútil. (M. Aub)

32. —¿Y usted qué haría si le tocase [*la lotería*], doña Balbina?
—¡Si no me va a tocar!
—¡Y dale! ¡No nos amargue la existencia! Suponga que le toca. (A. B. V.)

33. —¿Estás bien seguro de lo que tú quieres, hijo?
—Hacer el amor contigo, eso quiero, ya está.
—¡Mira por dónde! ¡Qué simpática manera...! (J. Marsé)

34. —Le pregunté si quería decir que yo debía ponerme a lustrar personalmente, y él, que eso, no más. ¡Hasta ahí podíamos llegar! Uno no será un señorito de cuna, pero tiene su orgullo. (M. D.)

35. —Quiero concretar lo de las habitaciones, doña Teresa...
—Pues usted dirá.
—Verá, he decidido alquilarle las dos. (R. Rodríguez Buded)

36. —La vieja se morirá esta madrugada...
—¡Vaya, hombre, ¿cómo sabes tú tan seguro cuándo va a morirse la vieja? (Carmen Martín Gaite)

37. —Oigan, ¿qué carajos traemos que hay que cuidarlo tanto?
—No lo sé.
—¿Será dinero que los políticos se están llevando a Suiza?
—Yo que tú, mejor me callaba. (L. Spota, *Mex.*)

38. —La de plata que hubieses ganado haciendo esa imitación. (O. Dragún, *Arg.*)

39. —Y fijaros la vista que tiene el mirador. Se ve toda la calle de Hortaleza. (M. M.)

40. Con lo ameno que resulta siempre este hombre cuando explica algo... ¡A ver si por el hecho de ser académico se nos va a volver tan pesado como la mayoría de los eruditos! (*Ya,* 26-6-73)

41. —Había de venir a que lo mataran, nomás a eso...
—¡Pobre Gabriel!
—Tan ilusionado que vino, con sus regalos para toda la familia. (C. Fuentes, *Mex.*)

42. —He perdido una cita con un señor que me iba a llevar a pasar dos días a un parador de la Sierra...
—¡Hijas! ¡Que no presumís poco con vuestros señores! (M. M.)

43. —Pues están listos como no cuenten con la iniciativa privada. (A. Palomino)

44. —De niño yo vivía en una casa más grande que ésta. Mire usted que haber sido niño y no haberme dado cuenta... (A. Gala)

45. —¡Y que todos tengamos que aguantarlo! (A. Alonso, 1925, 153)

46. —Novelas en esta época. Que las escriban, vaya y pase, ¡pero que las lean! (E. Sábato, *Arg.*)

47. —¡Cuidado que le tenéis miedo los hombres al ridículo, hay que ver! (R. S. F.)

48. —¡Pero cuidado que sois tontos! Doña Paula se estaba riendo con todas sus ganas. ¡Mira que asustarse por eso! (M. M.)

49. —No, ya no se escuchan. Mira que he querido escucharlas, mira que he pasado los años con los ojos cerrados esperando su rumor. (C. Fuentes, *Mex.*)

50. —¡Cuidado que es atento este señor! —decía Lucio, señalando con la sien al pasillo. (R. S. F.)

51. Las dificultades que experimentaba mi imaginación para librarme de aquellos memos... me humillaba hasta extremos desconocidos. ¡Y cui-

dado que la humillación forma parte de mi experiencia diaria, cuidado que sería nutrido e interminable el libro en que pudiera contarlas! (G. Torrente Ballester)

52. Sin embargo, lo que son las cosas, al caminar canturreaba. (A. Zamora Vicente)

53. —A mí no me manches, ¿eh? —le advertía Mely—. Ojito con salpicarme de aceite. (R. S. F.)

54. —Ojo con el turismo; se está confiando mucho en esa bobada; como un día nos falle, el país se encontrará desvalido, asolado, en quiebra. (A. Palomino)

55. Sentí que mis piernas se aflojaban y que el frío y la palidez invadían mi rostro. ¡Y encontrarme así, en medio de la gente! ¡Y no poder arrojarme humildemente para que [*ella*] me perdonase y calmase el horror y el desprecio que sentía por mí mismo! (E. Sábato, *Arg.*)

56. —Así nos hubiéramos muerto el día en que puso los pies en mi casa. (Spaulding, 62.)

57. —Caramba, disculpa, pero se me hizo tarde. No me hubieran esperado. (R. M. Cossa, *Arg.*)

58. ... al poco tiempo se les unió la Angelita Porreras..., también con el corazón deshecho por el Paquito...
—¡Caray con el Paquito, con la cara de infeliz que tiene!
—¡Sí! ¡Para que se fíe usted de las apariencias! (C. J. C.)

59. —¡Repórtese, doña Chelo, que hay clientes!
—¡Anda, pues que se vayan! ¡Como si no hubiera en el pueblo más bares que éste! (C. J. C.)

60. —Son cosas del negocio. Yo ya lo sabía cuando no era más que un simple albañil. Vaya que si lo sabía. Como que se hundió una [*casa*] en que yo trabajaba a destajo y no me aplastó porque el accidente ocurrió por la noche. (A. M. de Lera)

61. —¿Qué? ¿Viste a Norberto?
—Como que aquí está. Ha venido conmigo. (J. Benavente)

62. —Encontraron todo, todo... Y yo, con diecisiete años, viendo como testigos y abogados pintaban de ti una imagen que nada tenía que ver con tu persona. (J. L. Martín Descalzo)

63. —Huesudo el crío. Pero no hay niño feo, ¿verdad? Yo, a veces, digo que es feo, pero no hay que hacerme caso. (S. Eichelbaum, *Arg.*)

64. Seguro que andará en el coche de tu hermano, hablando de política... Que si Ciano, que si Roosevelt, que si el Chamberlain ese del paraguas... (J. M. Gironella)

65. El Responsable tiró al aire un cigarrillo que el Grandullón recogió.
—Nada de incendios, idiota. A ver si vas a quemar el edificio. (J. M. Gironella)

66. —¿Y sabes lo que hace? Alzar los hombros, sacudir la ceniza del cigarro con el dedo meñique y decir que ahí se las den todas. (B. P. G.)

67. —Vosotros tres, a llevar eso al señor Enrique, pero al contado, ¿eh? (A. M. de Lera)

68. —Se le puede hablar por la mañana...
—Nada de hablar por la mañana. Le llevas ahora mismo el reloj, se lo pones en la mesa y le dices... (G. García Márquez, *Colom.*)

69. —Mi madre me tenía muy sujeto y no me dejaba salir a la calle por miedo de que me perdiera, en el recto sentido de la palabra. ¡Mire usted que si la pobre levantara ahora la cabeza! (J. Rubén Romero, *Mex.*)

70. —... no vaya a parecer que uno empieza a sentirse mal, entre tanta gente que viaja como si tal cosa. (Seco, 88)

71. —¡Qué pesado es este trayecto! Una paradita cada dos manzanas. Venga a recoger gente y venga a soltarla. (A. Grosso)

72. —Y entonces, el delgado va y le dice al gordo: "¡Usted es un cochino!", y el gordo se vuelve y le contesta: "Oiga, oiga, ¡a ver si se cree que huelo siempre así!" (C. J. C.)

73. —Vengo a buscarte por si quieres venir a mi casa y a ver si entre las dos convencemos a Juana para salir a dar un paseo. (A. Sastre)

74. —Lo malo es el alojamiento, porque... si no me hubieran llegado a botar de la oficina, igual acabo por marcharme solita cualquier día de éstos. Como lo oyes. (A. Grosso)

75. —Aguardo a Tata, que, por lo visto, se está emperejilando como si fuéramos a un baile. (F. González Ollé, 20)

76. —Está visto que en esta casa no se puede hablar de nada —se resigna doña Luisa—. Como una, por lo visto, es tonta. (A. de Laiglesia)

77. —No viene Adolfo. ¿Qué pasará? ¿Le habrá pasado algo? Puede que los hayan sorprendido en la casa. (A. Sastre)

78. —Vamos a suponer... que a mí no se me nota lo que soy. Bueno, lo que he sido. Pero que no se os note a vosotras ya es difícil, porque, hijas, hay que ver cómo vais [*vestidas*] (M. M.)

79. —A estas horas podría yo seguir en el Centro, bien considerado, y malo sería que no tuviera ahorros para una motocicleta... (M. D.)

80. —Porque es un auto sufrido como ninguno. Estoy seguro que hasta puede andar sin bencina.
—Mejor no hagas la prueba, papá. (S. Vodanović, *Chile*)

81. —... si cuento eso, allá no les va a gustar... Así que mejor escribo sobre las ventajas del cerebro electrónico. (M. Benedetti, *Urug.*)

82. —Y el que venga atrás, que se las componga como pueda. (C. Gorostiza, *Mex.*)

83. —Mira: yo cruzo pasao mañana la frontera. En cuanto llegue, echo un vistazo y, rápido, te escribo. (L. Olmo)

84. —Bien. Te dejas caer por el almacén en el momento en que vaya a cerrar: a eso de las nueve y media. Luego le entretienes... El caso es que no salgas hasta las once o cosa así, ¿estamos? (A. M. de Lera)

85. —¿Qué pasa?
—¿No lo estás viendo? (S. Eichelbaum, *Arg.*)

86. —Oye, tú, so pasmao, ya estás yendo por el médico. Está aquí la medicina y tú ahí tan tranquilo. Si el niño se muere ahora... (J. L. C.-P.)

87. —Y ya están todos largándose de la azotea, que ahora mismo voy a cerrar la puerta... (A. B. V.)

88. —Yo..., hoy invito yo... ¿Aceptas?
—¡Qué remedio!
—Nada de que lo hagas a la fuerza.
—No, pequeña, si viene de ti, lo acepto complacido.
—Bueno, pues ya estás arreglándote, que tenemos que salir. (J. A. de Z.)

89. —Si llega a pasar esto veinticuatro horas más tarde, no nos enteramos hasta octubre. Nosotros nos íbamos mañana. (J. F. S.)

90. Si la agarrasen un día y le dieran una somanta [=*beating*] entre todos, a lo mejor entraba en razón (C. J. C.)

91. —Saturnina me contó que, el último jueves, tuviste una mala racha. [=*a bad day*].
—También la tal Saturnina podía meterse en sus asuntos y dejarnos en paz. (J. Calvo Sotelo)

92. —¿Y Julio?
—Habrá tenido que ir a algún sitio. (A. Sastre)

93. —Olvídate de esa chica. Poco significarías para ella, cuando se ha ido, sin más ni más. (R. Rodríguez Buded)

94. —... porque tú serás muy minucioso y todo lo que quieras, pero nunca hubieras hecho un trabajo tan bonito como el de papá. (M. D.)

95. Y Martina seguía:
—Porque una tendrá sus defectos, pero una es honrada. (Mercedes Salisachs)

96. —Pues mire usted: la cosa será como lo dice, pero yo, ¡qué quiere!, no acabo de verlo claro.
—Ni yo, no crea. Se lo cuento tal cual me lo contaron, pero la verdad es que yo tampoco lo entendí nunca. (C. J. C.)

97. —¡Pero qué ganas tienen estos curitas de complicarse la vida y de complicárnosla a todos! ¿Por qué no han de hablar del Evangelio y dejar en paz los problemas sociales? (J. L. Martín Descalzo)

98. —¿No pensará que además deberé soportar esto?
—Claro que no. ¿Por qué iba usted a tener que soportarlo? Es demasiado... (E. Wolff, *Chile*)

99. —¿No te habrás enfadado por lo que te he dicho?
—¿Por qué me iba a enfadar?
—¡Yo qué sé! Por lo de Gracita. A lo mejor te has enfadado. (J. L. C.-P.)

100. —No tengo hambre, papá.
—Ya has de haber estado comiendo en la calle, niño, echándote a perder el estómago. (R. Usigli, *Mex.*)

101. —Padre, de haberme muerto ayer, ¿me habría salvado?
—Hombre..., eso nadie lo puede decir; pero si su deseo de confesar sus pecados era sincero, ¿por qué le iba a faltar la Bondad divina? (J. Calvo Sotelo)

102. —¿A que le has sacado ese dinero a tu novia?
—Te digo que no.
—Y yo te digo que sí. ¿Quién te iba a dar el dinero si no? (P. Baroja)

103. —Ven, vamos a despertarlo.
—¿No irá a enojarse?
—No, hija, ¿cómo va a enojarse? (W. Cantón, *Mex.*)

104. —¿Te divierte mucho llevar una mujer secuestrada en tu coche?
—¡"Secuestrada"! ¡Qué palabra más dura!
—No irás a decirme que me llevas por mi gusto. (T. Luca de Tena)

105. —Partirán el jueves, en ómnibus, para que estén allí el viernes. No vaya a ser que se caiga el avión y no haya tiempo para reemplazarlos. (M. V. L.)

106. —Anda, vete a arreglar, no vaya a venir mi padre. (R. Rodríguez Buded)

107. —Ya sabes, no le vayas a decir nada a Panta ni a la señora Leonor hasta dentro de dos o tres horas, no sea que llamen por radio y hagan regresar el avión. (M. V. L.)

108. —El libro dice de tres a cuatro cucharadas... De modo que, si la quiere, vamos a dársela también.

—No la vayas a indigestar el primer día que la [*sic*] das de comer. (J. A. de Z.)

109. —Y lo peor es que no queda un alma en todo el contorno que pueda darnos nada. (A. B. V.)

110. —No es lo malo que hayáis robado. Lo insoportable es que me habéis puesto en evidencia. (R. Rodríguez Buded)

111. —Como fuera hija mía... —clavó la mirada en la casa del gitano y comenzó a maldecirlo, en tanto alzaban con cuidado el cuerpo de la muchacha. (J. F. S.)

112. —Dispongo de muy poco tiempo, señor... O me indica de una vez lo que quiere o me hace el favor de irse. (M. V. L.)

113. —Por allí vinieron...—Extensión de su brazo y de su índice enguantado, el faro del coronel señala el ancho surco que el [*avión*] B25 abrió entre los árboles antes de estrellarse contra el enredo de la maleza... —Cien metros más y se van al barranco. (L. Spota, *Mex.*)

114. —Con la recomendación todo se arreglaba. Ganaba: no era por mis méritos. Perdía a pesar de ella: tendría que reconocer mi absoluta mediocridad. (A. B. V.)

115. —Viniera con humildad... y el pan me quitara de la boca para dárselo. (Lidia Contreras, 77)

116. —A un hombre soy capaz de perdonarle lo que sea; ¡pero mujer que me la hace, me la paga! (Keniston, 58)

117. —Yo voy a intentar: que fracaso, pues regreso; que lo consigo..., pues me quedo. (J. Polo, 1971, 155)

118. —... nos hemos llevado un desengaño de órdago. ¿Que ahora toca tragar? Pues se traga, que uno sabe hacer de todo. (M. D.)

119. —Pues lo mismo se me da a mí que estés colmado como que no estés, porque tú me importas tres pitos, ¡ya lo sabes! (F. García Lorca)

120. —¿Qué pasa que no hay ratas este año?
—¿Qué sé yo? (M. D.)

121. —¡Vaya sed que tienen en la acera! El botijo circula que es un primor. (A. B. V.)

122. —Yo no lo veo hace la mar de tiempo. Lo menos siete días. (M. M.)

123. —Lo que me causó su muerte fue mucha alegría y envidia. Alegría, por lo santa que fue. Envidia, por lo mismo, porque su muerte fue envidiable. (J. L. Martín Vigil)

124. —No me aprietes la mano, mi negro, que de lo agradecida que te estoy me pongo la mar de excitada. (A. Grosso)

125. —Por fin, ¿vienes? ¿O vas a estudiar?
—Pues mira, es que debería estudiar, ¿sabes?
—¡Toma, y yo! ¡Tienes cada idea luminosa! (J. A. Payno)

126. —No me mire usted así, mi amo, que no estoy bebío. Lo de esta mañana fue que salimos sin almorzar y me convidaron, y un traguete que bebió uno, pues le cayó mal y eso fue todo... (J. Benavente)

127. —Es una trampa que no debiéramos consentir, esto de que la ley de libertad de Prensa la haga un gordo y luego la esté administrando un flaco. (J. M. Pemán)

128. —Me apuesto lo que quieras a que cuando lo de Elviro no llegó a esos extremos. (M. D.)

129. —Muchas sonrisas y buenas palabras, y, a la que usté se descuida, le roban hasta el pellejo. (J. Goytisolo)

130. —No sé por qué, la tía no se sentaba nunca junto a María Julia, sino junto a mí. Quizá, a los efectos de cumplir su guardia, desde allí la visibilidad era mejor. De todos modos, su proximidad no era lo que se dice un placer. (M. Benedetti, *Urug.*)

EXERCISE 2

1. —¿Y si el cuarto en que os encerrase no estuviera oscuro? ¿También tendríais miedo?
—No, papá; así, no.
—¿Cómo que no, Jorge? Igual os haría daño el hombre del saco, y las brujas, y también los fantasmas, ¿no? (L. Olmo)

2. —No sé; usted tendrá sus razones, pero lo que es yo, como pudiera, poco tiempo iba a parar aquí. (J. F. S.)

3. —Porque hay que ver lo que llevamos sufrido. Diez años dando tumbos por ahí. Con treinta años encima y sin vender una escoba, como aquel que dice. Sin saber lo que es el mundo. (J. M. Rodríguez Méndez)

4. —... pobre barco, que no ha hecho agua ni nada desde entonces acá por cientos de agujeros, y tan invulnerable como nos parecía. (Carmen Martín Gaite)

5. —¡Me dio un susto! Creí que iba a disparar sobre alguien.
—¿Por qué iba a hacerlo? Solamente que estuviera loco.
—Está bastante loco, el pobre, no creas. (C. Gorostiza, *Mex.*)

6. —¡Y mira que llevarse esas joyas que valían tantísimo dinero!
—Dicen que cerca de dos millones.
—Ya ve. Y a lo mejor para gastárselos por ahí en tonterías. Con los necesitados que hay por el mundo. Con tanto pobrecito al que hay que socorrer. (M. M.)

7. —¿Cómo va esa salud, don Javier? A ver la barca, ¿no?
—Dando un paseo más bien. Y ¿los tuyos, Juan?
—El chico, regular, con las fiebres. Cosa del vientre, que le empieza llegando estos meses. Pero que no se le cura.
—Vaya, lo siento. (J. G. H.)

8. De pronto, apareció el guardabosque y lo cogió por una oreja...
—¡Todos los días igual! —gritaba, arrastrándole fuera de allí—. ¿Te creerás, a lo mejor, que vas a estar comiendo siempre la sopa boba? Ya te enseñaré yo a entrar en razón... ¡Tú te has creído que la vida es Jauja! (Ana María Matute)

9. —Sí, hija. Mire usted lo que dice el periódico del tiempo.
—¡Ah! ¡Aquí viene lo del atraco ése de Burgos! ¡Qué atrocidad!, ¿no le parece?
—Sí. Una atrocidad.
—Todos los periódicos dicen lo mismo. Que no se sabe de ellos una palabra.
—Como que debieron cruzar la frontera de Irún en seguida. Y cualquiera los pesca ahora... (M. M.)

10. —¿A qué vienes?
—A comer, princesa.
—A comer, ¿eh? Toda la noche emborrachándote con mujeres, y a la la hora de comer, a casita, a ver lo que la Rosa ha podido apañar por ahí.
—No te enfades, gatita.
—¡Sinvergüenza! ¡Perdido! ¿Y el dinero? ¿Y el dinero para comer? (A. B. V.)

11. P: —Cállate y dime una cosa. ¿Vosotros cuándo os vais a casar?
M: —Él quiere cuanto antes. Los papeles ya están casi arreglados. Pero nos vamos a casar en el pueblo donde tiene la fábrica.
P: —¡Ah, vaya!
M: —Y lo hemos retrasado un poco, hasta que su madre se ponga buena.
P: —¡Claro! ¡Ya está!
M: —¿El qué ya está?
P: —Que si no llaman a un médico, como sería lo natural, es porque la madre no está mala, sino que lo finge.
M: —¿A santo de qué?
P: —Para retrasar la boda. (M. M.)

12. —Pero, señorita, si es que yo no quiero aprender el francés. De veras.
—¡Ay, qué rica! Eso es muy cómodo. Pero la cultura tiene que llegar a todos los sectores sociales.
—¿Es obligatorio?
—¡A ver! Por patriotismo.

—¡Huy!
—Hala, hala. Siéntate ahí.
—¡Ay, madre mía! (V. R. I.)

13. —Anda, largo de aquí, chiquito —le dijo—. Nuestro niño está con sarampión y no sea que te contagies en vísperas de comulgar... ¡Vete, chico! (Ana María Matute)

14. —¿Por qué dices tanta tontería? Me estás cansando. No irás a esperar que te suplique... ¡Si tú me quieres, mujer! Mira, vamos a terminar de discutir todo esto en mi cuarto. ¡Hala! ¡Vamos! (Carmen Laforet)

15. —... y yo sin hacerle maldito el caso, preguntándole a papá que si no se animaba a venirse conmigo, y ella dale que te pego: "Pero no comprendes que lo primero que va a hacer Eulalia en cuanto vea aparecer a cualquiera por allí va a ser ponerle cara de perro?" (Carmen Martín Gaite)

16. —¿Cuándo se acabará la guerra, para irme? Tan bien que estaba yo antes... Y van y me reclutan. "¡Para la guerra, a hacerse rico!" ¡Qué rico ni qué rico! Yo, hasta ahora, todo lo que he sacado es un tiro en una pata. (A. Uslar Pietri, *Venez.*)

17. —Les prometo que no saldrán con las manos vacías. Pero, ¡eso sí!, mucho ojo ahora y mucho cuidado con soltar la lengua, que si me han de hacer mal el favor, mejor no me lo hacen. (M. A. Asturias, *Guatemala*)

18. —¿Qué tiempo hace, general?
—Fresco, Señor Presidente.
—Y Miguel sin abrigo...
—Señor Presidente...
—Nada, estás que tiemblas y vas a decirme que no tienes frío... (M. A. Asturias, *Guatemala*)

19. —Vivirá usted en alguna residencia de señoritas, ¿no?
—Yo vivo de pensión.
—¡Huy! ¡Pobrecita!
—¿Por qué pobrecita? Pues menuda habitación tengo. (M. M.)

20. —Si te digo que no es eso.
—Pues venga lo que sea.
—Es difícil.
—Por lo visto, te crees que puedo estar aquí perdiendo el tiempo.
—No te enfades.
—Si no me enfado. Es que... (A. Sastre)

21. —Una limosna, señoritos, que mi padre está parao y no tenemos qué comer.
Armando entrega al chico una peseta... después de acariciarle la cara.
—Se agradece —contesta el chico. (A. Grosso and A. López Salinas)

22. —Fíjese, general, en que ahí no dice que haya sido muerte natural.
—¿Cómo iba a decirlo? ¿Acaso puede usted asegurar que el hombre no fue asesinado? (R. Gallegos, *Venez.*)

23. —Te dije que tardaría diez minutos exactamente.
—Claro, pero de todos modos...
—No serás de esos hombres antiguos que aún creen que las mujeres hacen esperar...
—No, qué va... De ninguna manera. (M. M.)

24. —Que no se te ocurra abandonar el puesto, ¿lo oyes?... Por desgracia, uno ya tiene las manos manchadas de sangre, y lo más fácil es que un muerto más no se me note en estas manos ni que me vayan a temblar por eso. (A. Sastre)

25. —Mira que si las sacaras [=*las oposiciones*], qué borrachera...
—... Anda, y que no me iba a reír de todos. En un mes no me conocía nadie. (J. M. Rodríguez Méndez)

26. —Ya tienes a Fry.
—Menudo pelma. No sé qué se ha creído ese mocoso. Ni que fuera, ¿qué sé yo?, Rock Hudson.
—Por cierto, que el otro día le vi en una película: estaba imponente. (J. A. Payno)

27. —Y yo no soy como esas otras que en seguida avasallan... ¡Hala! ¡A lo bruto. Yo seré todo lo que quieras, pero sé quedarme en mi sitio. Y eso que me caes bien. Pareces un buen chico. (M. M.)

28. —Oiga usted, ¿y por qué lo titula "Agustina de Aragón", si era soltera?
—Porque me da la gana, ¡qué pasa!
—No, no; por pasar, no pasa nada. ¡Allá usted! ¡Por mí, como si lo titula usted "Robespierre"! ¡Pues sí que me importa! (Sara Suárez Solís, 185)

29. —Pero con ésta no me atrevo. Es una mula poco legítima, una mula griega. Como se harte y le dé la vena, empieza a tirar coces y no hay quien la sujete. Mira que le llevo dando palos, ¡pues como si nada! (C. J. C.)

30. —¡Pero tú siempre pareces amargado!...
—¡Amargado...! Qué va. ¿Yo? ¿Por qué había de estarlo? Mi vida es una "delicia"... ¿Por qué iba a estar amargado? (J. A. Payno)

31. —¿Conque ahora te quieres llamar Caín, Caín Rodríguez? ¡No está mal, mira que no está mal! De veras te pega ese nombre. (E. Caballero Calderón, *Colom.*)

32. —De esto, nada, ¿oyes? Hay petróleo aquí abajo. Voy a avisar al jefe. Esto es más importante que las cuevas. Pero mientras no venga el jefe, ni una palabra, ¿oyes? (M. D.)

33. —¿Usted ha sido náufrago en alguna ocasión?...
—¿Y para qué iba a ser yo un náufrago? ¿A qué viene esa tontería? (M. M.)

34. —Comer, no comeremos, ¡pero nos reímos un rato largo y lo pasamos la mar de bien! ¡Vaya si lo pasamos bien! (C. J. C.)

35. —Esto de olvidarse de los nombres, es algo que da mucha rabia; algo, también, que puede ponernos en muy desairados compromisos.
—¡Mire usted que es mala pata! ¿En qué diablos estaría pensando? ¿Por qué no lo habría apuntado en el momento, como siempre ha sido mi costumbre? (C. J. C.)

36. —Y tú, a ver, cuéntame qué demonios haces por aquí. Porque ¿no me irás a decir que vienes de turista? (J. F. S.)

37. —Quietecitas. Nada de ruidos ni nervios. Paciencia. Vamos a buscar los papeles. No habléis, no hagáis ruido. A dormir; es lo mejor. (A. Palomino)

38. —Ya ve, yo he dicho lantejas [*instead of 'lentejas'*] hasta que fui a la mili... Cuidado que estábamos salvajos, ¿eh? (A. Zamora Vicente)

39. —Anda, que tampoco has tardado tú.
—Y no veas lo pesado que estaba el viejales. (F. Umbral)

40. —Pablito desearía que la vida fuera una multiplicación: dos por dos, cuatro, y ya está...
—Pues menudos chascos se va a llevar el hombrecito. (J. M. Gironella)

41. —... y si nos largáramos de una vez, malo sería que no alcanzara el último cacerío. (M. D.)

42. —Ando un poco borrachito por eso, y por eso también hablo un poco ronco... ¡Como que en Guadalajara dejé la mitad de la campanilla y por el camino vengo escupiendo la otra mitad. (M. Azuela, *Mex.*)

43. —Ya me lo figuro. Como que la muy sinvergüenza alguna de las cosas que le he llevado supe que las había vendido después a muy buen precio. (J. L. C.-P.)

44. —Qué le pasa a tu marido que anda así... Tú y yo con el alma en un hilo por lo que ha pasado en esta ciudad, y él más alegre que un canario. (M. V. L.)

45. —Y por si fuera poco *(Le muestra sus brazos)*, éstos en el aire, sin un puñetero ladrillo que agarrar. (L. Olmo)

46. —Ayer... tuvo la pobre una espantosa reyerta con ese caribe del marqués. Que si él era el que gastaba, que si gastaba más ella, que si tú, que si yo... (B. P. G.)

47. —Por lo menos vete a un pueblo rico, un pueblo grande donde haya dinero... Te casas y en paz, a descansar. Que si un poquito de brisca por las tardes, que si las fiestas, que si la matanza. (J. F. S.)

48. —Mucho convidar al secretario y a los mandamás del Ayuntamiento cada vez que aparecen, y ¿para qué? [*Son*] Ganas de llenarles la barriga; para el caso que hacen... (J. F. S.)

49. —Bueno, hombre, no se incomode, ¡caray con la gente! ¡A ver si se ha creído que por darme un poco de tabaco se va a poder poner así! (C. J. C.)

50. —No le compadezcas..., ¿dejará de ser un sucio...?, porque, vamos, intentar casarse con una de veintiocho, rozando él los sesenta..., valiente guarro.
—Igual le resulta bien. (J. A. de Z.)

51. —¡Pobres hijas, qué ajenas están al peligro que corrieron! Menos mal que nacieron en España, ¡pero mire usted que si llegan a nacer en China! Igual les pudo pasar, ¿verdad, usted? (C. J. C.)

52. —¿Decíamos? Perdone. Bueno, así que mejor me trae un guión con dos o tres firmas, se los paso al director y que él decida. (A. Berlanga)

53. —Esa moza es de cuidado. Parece que... sabe dar puñetazos como un marinero inglés, y, además, conoce ese modo de reñir de los japoneses que llaman *jitsu*. Total, que se atreve un cristiano a darle un pellizco, y ella... te agarra y te deja hecho un guiñapo. (V. Blasco Ibáñez)

54. —Oiga, el sol se pone por allí, ¿verdad?
—¿Y por dónde carape quiere usté que se ponga, hombre?
—No, no; si se lo preguntaba sólo por confirmarlo. Claro, el poniente está allí. (J. Corrales Egea)

55. —... pero es tan buena la pobre tía, que no quisiera disgustarla; por eso, de cuando en cuando la [*sic*] dedico un día, y ella se alegra mucho. Eso sí, tengo que dejarla [*sic*] que me hable mal de ti...
—¡Toma! (F. González Ollé, 14)

56. —Una vez que un pariente de lo más lejano llegó a ministro, nos arreglamos para que nombrase a buena parte de la familia en la sucursal de correos en la calle Serrano. Duró poco, eso sí. (J. Cortázar, *Arg.*)

57. —Le he hecho unas empanadillas... ¿Cree usted que le gustarán?
—Como gustarle, sí. Lo que pasa es que la [*sic*] van a pillar el estómago desacostumbrado. (L. Olmo)

58. —Es que, por lo visto, eso de ser gastosa... no lo puede evitar; con decirte que sólo en cremas y gastos de perfumería paga todos los meses más de dos mil pesetas. (J. A. de Z.)

59. —... me fui hacia él, lo cogí de las solapas, lo zarandeé... Si no me lo quitan, no sé. Menos mal que intervinieron los compañeros. (R. Rodríguez Buded)

60. —Y te pones a ver, y papá no tenía ninguna obligación, que al fin y al cabo fue un despiste tuyo, como de costumbre, que parece que vives en la luna. (M. D.)

61. —Y mamá, casi peor; con lo golosa que era, dejó de comer dulces, fíjate, pero para siempre, que menudo sacrificio. (M. D.)

62. —La señorita Reyes, ciertamente, se lo comía con los ojos. ¡Si lo sabría don Polo, pues más sabe el diablo por viejo...! (E. Caballero Calderón, *Colom.*)

63. —¿Y qué papel hago yo aquí, doctor Luzardo? Porque usted habla en tono que parece que fuera la autoridad.
—En absoluto, coronel. (R. Gallegos, *Venez.*)

64. —¿Que soy un viejo que tiene el cerebro en salmuera y el corazón más duro que Matilisguate? ¡Mala gente, mas está bien que lo digan! Pero que los mismos paisanos se aprovechen... de lo que yo he hecho por salvar al país de la piratería..., eso es lo que ya no tiene nombre. (M. A. Asturias, *Guatemala*)

65. Paquita Cuenca agarró de una oreja al Nandet:
—Bueno estás tú hecho. ¡Habráse visto mayor falta de caridad! ¡Torturar a los animales! ¿No te ha dicho nadie que ése es un pecado muy gordo?... Para que lo sepas, son también criaturas de Dios... ¡Bah! Pero ¡qué vas a saber tú con el padre que tienes! A lo mejor ni siquiera has oído hablar de Dios... (Mercedes Salisachs)

66. —Abra el saco.
No llevo nada.
—¡Que abra el saco, le digo! ¿Y este pollo?
—Es un regalo para el señor alcalde.
—¡Como si es para el gobernador! ¡Por este pollo tiene usted que pagar cinco reales!
—¿Y si no los tengo?
—Si no los tiene, los busca. (C. J. C.)

67. —Yo te digo que todo eso son mentiras para sacarte los cuartos.
—¿Pero qué cuartos ni qué narices? Si no piden nada, so animal, si vienen a dártelo.
—¡Qué han de dar! (Elena Quiroga)

BIBLIOGRAPHY

Academia Española:

Diccionario de la lengua española, 19.ª ed., Madrid, Espasa-Calpe, 1970.

Academia Española (Comisión de Gramática):

Esbozo de una nueva gramática de la lengua española, Madrid, Espasa-Calpe, 1973.

Alarcos Llorach, E.:

«¡Lo fuertes que eran!», in *Estudios de gramática funcional del español*, Madrid, Gredos, 1970, 178-191.

«Grupos nominales con /de/ en español», in *Studia Hispanica in Honorem R. Lapesa*, I, Madrid, Gredos, 1972, 85-91.

Alonso, A:

«Español *como que* y *cómo que*», en *Revista de Filología Española*, 12 (1925), 133-156.

Estudios lingüísticos. Temas españoles, 2.ª ed., Madrid, Gredos, 1961.

Alonso, M.:

Evolución sintáctica del español, 2.ª ed., Madrid, Aguilar, 1964.

Ariza, A. K., and Ariza, I. F.:

«Brief Grammatical Survey», in L. Olmo, *La camisa*, ed. A. K. and I. F. Ariza, London and New York, Pergamon Press, 1968, 19-24.

Arutiunova, N. D.:

Trudnosti perevoda s ispanskogo jazyka na russkij, Moscow, Izdatel'stvo Nauka, 1965.

«Sintaksicheskaja emfaza v ispanskom jazyke v sravnenii s drugimi romanskimi jazykami», in *Metody sravnitel'no-sopostavitel'nogo izuchenija sovremennykh romanskikh jazykov*, Moscow. Izdatel'stvo Nauka, 1966.

Beinhauer, W.:

El español coloquial, Madrid, Gredos, 1963.

«Dos tendencias antagónicas en el lenguaje coloquial español (expresiones retardatarias, comodines, muletillas y expletivos)», in *Español Actual*, n.º 6 (1965), 1-2.

Beym, R.:

The Linguistic Category of Emphasis in Colloquial Spanish, University of Illinois (Urbana), Ph. D. Thesis, 1952.

Bolinger, D. L.:
«The Future and Conditional of Probability», in *Hispania,* 29 (1946), 363-375.
«*En efecto* Does Not Mean *In fact*», in *Hispania,* 33 (1950), 349-350.
«Verbs of Emotion», in *Hispania,* 36 (1953), 459-461.
«Gleanings from CLM: Indicative vs. Subjunctive in Exclamations», in *Hispania,* 42 (1959), 372-373.

Brend, Ruth M.:
A Tagmemic Analysis of Mexican Spanish Clauses, The Hague, Mouton, 1968.

Brown, L. K.:
A Thesaurus of Spanish Idioms and Everyday Language, New York, Frederick Ungar, 1945.

Caballero, J.:
Guía-Diccionario del Quijote, Mexico, Ed. España Errante, 1970.

Carballo Picazo, A.:
Español conversacional. Ejercicios de vocabulario, 3.ª ed., Madrid, C.S.I.C., 1964.

Carnicé de Gallez, Esther:
«Caracteres de la interjección», in *Actas de la Quinta Asamblea Interuniversitaria de Filología y Literaturas Hispánicas*, Universidad Nacional del Sur, 1968.

Carnicer, R.:
Sobre el lenguaje de hoy, Madrid, Prensa Española, 1969.
Nuevas reflexiones sobre el lenguaje, Madrid, Prensa Española, 1972.

Cecchini, M.:
Manual de sintaxis española, Naples, Liguori Editores, 1968.

Cela, C. J.:
Diccionario secreto, vols. 1-2, Madrid, Alfaguara, 1968-1971.

Contreras, Lidia:
«Las oraciones condicionales», in *Boletín de Filología,* 15 (1963), 33-109.

Coste, J., and Redondo, A.:
Syntaxe de l'espagnol moderne, Paris, Sedes, 1965.

Criado de Val, M.:
Gramática del español, 3.ª ed., Madrid, S.A.E.T.A., [*n. d.*]
«Transcripciones coloquiales», in *Yelmo,* n.º 15- (1973-).

Cuestionario para el estudio coordinado de la norma lingüística culta de las principales ciudades de Iberoamérica y de la Península Ibérica, Ili, Morfosintaxis, Madrid, C.S.I.C., 1972.

Dictionary of Spoken Spanish, New York, Dover, 1958.

Dubský, J.:
«El infinitivo en la réplica», in *Español Actual,* n.º 8 (1966), 1-2.
«El aspecto estilístico de un fenómeno lingüístico», in *Philologica Pragensia,* 10 (1967), 21-28.
Introducción a la estilística de la lengua, Santiago de Cuba, Universidad de Oriente, 1970.

Fente Gómez, R.:
Estilística del verbo en inglés y en español, Madrid, S.G.E.L., 1971.

Fente Gómez, R., Fernández Álvarez, J., and Feijóo, L. G.:
(1972a): *Perífrasis verbales*, Madrid, S.G.E.L., 1972.
(1972b): *El subjuntivo*, Madrid, S.G.E.L., 1972.

Fish, G. T.:
«The Redundant Construction in Standard Spanish», in *Hispania*, 41 (1958), 324-331.
«The Position of Subject and Object in Spanish Prose», in *Hispania*, 42 (1959), 582-590.
«The Redundant Construction: Errata and Addenda», in *Hispania*, 45 (1962), 94-95.

Flórez, L.:
«Apuntes sobre el español de Madrid. Año de 1965», in *Thesaurus*, 21 (1966), 156-171.

Folley, T.:
A Dictionary of Spanish Idioms and Colloquialisms, London, Blackie and Son, 1965.

Gerrard, A. B.:
Beyond the Dictionary in Spanish. A Handbook of Everyday Usage, revised and enlarged, London, Cassells; New York, Funk and Wagnalls, 1972.

Gili Gaya, S.:
«*¿Es que...?* Estructura de la pregunta general», in *Homenaje a Dámaso Alonso*, Madrid, Gredos, 1961, II, 91-98.
Curso superior de sintaxis española, 9.ª ed., Barcelona, Bibliograf, 1969.
Estudios de lenguaje infantil, Barcelona, Bibliograf, 1972.

Gómez de Ivashevsky, Aura:
Lenguaje coloquial venezolano, Caracas, Universidad Central, 1969.

Gómez del Prado, G.:
«Comments on Mr. G. Lovett's Notes», in *Hispania*, 46 (1963), 381-383.

González Ollé, F.:
Textos para el estudio del español coloquial, Pamplona, Universidad de Navarra, 1967.

Gooch, A.:
Diminutive, Augmentative and Pejorative Suffixes in Modern Spanish, London and New York, Pergamon Press, 1967.

Gorosch, M.:
«Un sujeto indeterminado o general expresado por la segunda persona del singular: tú», in *Actes du 4.e Congrès de Romanistes Scandinaves dédiés à Holger Sten*, Copenhagen, Akademisk Forlag, 1967.
Le presento..., London, Longman, 1973.

Hamplová, Sylva:
«Algunas observaciones acerca de las perífrasis modales en español», in *Ibero-Americana Pragensia*, 3 (1969), 107-129.

Harmer, L. C., and Norton, F. J.:
A Manual of Modern Spanish, London, University Tutorial Press, 1935.

Hatcher, Anna G.:
(1956a): «On the Inverted Object in Spanish», in *Modern Language Journal*, 71 (1956), 362-373.
(1956b): «Theme and Underlying Question. Two Studies of Spanish Word Order», in *Word*, 12 (1956), Supplement, 1-53.
«Casos se han dado», in *Hispania*, 40 (1957), 326-329.

Hernández Alonso, C.:
«El *que* español», in *Revista de Filología Española*, 50 (1967), 257-271.

Iribarren, J. M.:
El porqué de los dichos, 4.ª ed., Madrid, Aguilar, 1974.

Jump, J. R.:
The Spaniard and his Language, London, Harrap, 1951.

Kahane, H., and Renée:
«The Position of the Actor Expression in Colloquial Mexican Spanish», in *Language*, 26 (1950), 236-263.

Kany, C. E.:
American-Spanish Syntax, 2nd. ed., University of Chicago Press, 1951.

Keniston, H.:
Spanish Syntax List, New York, Holt, Rinehart and Winston, 1937.

Kovacci, Ofelia:
«Acerca de la coordinación en español», in *Boletín de Humanidades*, 1 (1972), 1-29.

Lamíquez, V.:
«El superlativo iterativo», in *Boletín de Filología Española*, n.º 38-39 (1971), 15-22.

Lapesa, R.:
«Sobre las construcciones *El diablo del toro, El bueno de Minaya, ¡Ay de mí!, ¡Pobre de Juan!, Por malos de pecados*», in *Filología*, 8 (1962), 169-184.

Lois, Elida:
«Las construcciones *lo buena que es* y *lo bien que canta*», in *Filología*, 15 (1971), 87-123.

Lope Blanch, J. M.:
«Algunos usos de indicativo por subjuntivo en oraciones subordinadas», in *Nueva Revista de Filología Hispánica*, 12 (1958), 383-385.
«La reducción del paradigma verbal en el español de México», in *Actas del XI Congreso Internacional de Lingüística y Filología Románicas*, Madrid, C.S.I.C., 1968, IV, 1791-1807.
«El proyecto de estudio coordinado de la norma lingüística culta de las principales ciudades de Iberoamérica y de la Península Ibérica. Su desarrollo y estado actual»,

in *El Simposio de México. Actas, Informes y Comunicaciones,* Mexico, U.N.A.M., 1969, 222-233.
(ed.): *El habla de la ciudad de México. Materiales para su estudio*, Mexico, U.N.A.M., 1971.

Lorenzo, E:
El español de hoy, lengua en ebullición, Madrid, Gredos, 1966.

Lovett, G. H.:
«Notes on Everyday Spanish, Madrid 1962», in *Hispania,* 45 (1962), 738-742.

Lozano, A. G.:
A Study of Spoken Styles in Colombian Spanish, University of Texas, Ph. D. Thesis, 1964.

Luque Durán, J. D.:
Las preposiciones, 2 vols., Madrid, S.G.E.L.. 1973.

Macandrew, R. M.:
Translation from Spanish, London, A. and C. Black, 1936.

McWilliams, R. D.:
The Adverb in Colloquial Spanish, University of Illinois, Ph. D. Thesis, 1951

Magallanes, Dulce María:
«Oraciones independientes en el español de México», in *Anuario de Letras*, 8 (1970), 235-239.

Martín, J.:
Diccionario de expresiones malsonantes del español, Madrid, Eds. Istmo, 1974.

Martín Vigil, J. L.:
Hablan los hijos, 4.ª ed., Barcelona, Juventud, 1971.

Martínez Alvarez, Josefina:
«Llorar, cualquiera llora», in *Archivum*, 16 (1966), 35-38.

Martínez Amador, E. M.:
Diccionario gramatical, Barcelona, Sopena, 1954.

Miquel i Verges, María Eugenia:
«Fórmulas de tratamiento en la ciudad de México», in *Anuario de Letras*, 3 (1963), 35-86.

Molina Redondo, J. A. de:
Usos de «se», Madrid, S.G.E.L., 1974.

Moliner, María:
Diccionario de uso del español, 2 vols., Madrid, Gredos, 1966-1967.

Mondéjar, J.:
«La expresión de la condicionalidad en español (Conjunciones y locuciones conjuntivas)», in *Revista de Filología Española*, 49 (1966), 229-254.

Navarro Tomás, T.:

«Metodología lexicográfica del español hablado», in *Revista Interamericana de Bibliografía,* 18 (1968), 375-386.

Navas, R.:

«Pausa, base verbal y grado cero», in *Revista de Filología Española,* 45 (1962), 273-284.

Oroz, R.:

La lengua castellana en Chile, Santiago, Universidad de Chile, 1966.

Parisi, G.:

Coordination in Spanish: A Syntactic-semantic Description of 'y', 'pero', and 'o' Georgetown University, Ph. D. Thesis, 1968.

Polo, J.:

«A propósito del *Diccionario de dudas* de Manuel Seco», in *Revista de Filología Española,* 51 (1968), 243-265.
«Casuística gramatical», in *Boletín de Filología Española,* n.º 30-31 (1969), 45-58.
Las oraciones condicionales en español. Ensayo de teoría gramatical, Universidad de Granada, C.S.I.C., 1971.

Py, B.:

La interrogación en el español hablado de Madrid, Brussels, AIMAV, 1971.

Ramsey, M. M.:

A Texbook of Modern Spanish, revised by R. K. Spaulding, New York, Holt, Rinehart and Winston, 1956.

Regula, M.:

«Contributions variées à la linguistique espagnole», in *Actas del XI Congreso Internacional de Lingüística y Filología Románicas,* Madrid, C.S.I.C., 1968, IV, 1853-1863.

Roca Pons, J.:

«Le sujet et le prédicat dans la langue espagnole», in *Revue de linguistique romane,* 29 (1965), 249-255.

Rojas Nieto, Cecilia:

«Los nexos adversativos en la norma culta del español hablado en México», in *Anuario de Letras,* 8 (1970), 103-124.

Roldán, Mercedes:

«Spurious Relative Clauses in Spanish», in *Papers in Linguistics,* 5 (1972), 321-329.

Rona, J. P.:

«Problemas del estudio del lenguaje hablado», in *El Simposio de Bloomington, Actas, Informes y Comunicaciones,* Bogotá, Instituto Caro y Cuervo, 1967, 268-274.

Sacks, N. P.:
«Current Usage in Spain», in *Hispania*, 40 (1957), 23-38.

Sala, R. (ed.):
The Language of Fifteen- and Sixteen-Year-Old Spanish Children, University of York, Child Language Survey, [*n. d.*]

Seco, M.:
Diccionario de dudas y dificultades de la lengua española, 5.ª ed., Madrid, Aguilar, 1967.
«La lengua coloquial: 'Entre visillos', de Carmen Martín Gaite», in E. Alarcos Llorach *et al*, *El comentario de textos*, Madrid, Castalia, 1973, 357-375.

Smith, C., Bermejo Marcos, M., and Chang-Rodríguez, E.:
Collins Spanish Dictionary, London and New York, Collins, 1971.

Spaulding, R. K.:
Syntax of the Spanish Verb, New York, Holt, Rinehart and Winston, 1959.
«Infinitive and Subjunctive with *hacer, mandar* and the Like», in *Hispania*, 16 (1933), 425-432.
«Two Elliptical Subjunctives in Spanish», in *Hispania*, 17 (1934), 355-360.

Spitzer, L.:
«Notas sintácticas-estilísticas a propósito del español *que*», in *Revista de Filología Hispánica*, 4 (1942), 106-126, 253-265.

Stamm, J. R.:
«El empleo impersonal del 'tú'», in *Romance Notes*, 9 (1967), 338-340.

Suárez Solís, Sara:
El léxico de Camilo José Cela, Madrid, Alfaguara, 1969.

Trinidad, F.:
Arniches. Un estudio del habla popular madrileña, Madrid, Ed. Góngora, 1969.

Vallejo, J.:
«Papeletas para el diccionario», in *Boletín de la Real Academia Española*, 32 (1952), 361-412.

Vidal de Battini, Berta Elena:
El habla rural de San Luis, Universidad de Buenos Aires, 1949.

Weber de Kurlat, Frida:
«Fórmulas de cortesía en la lengua de Buenos Aires», in *Filología*, 12 (1966), 137-192.

Wilson, R. E.:
«Polite Ways to Give Orders», in *Hispania*, 48 (1965), 117-118.

Woehr, R.:
«'Acaso', 'Quizá(s)', 'Tal vez': Free Variants?», in *Hispania*, 55 (1972), 320-327.

Zamora Vicente, A.:
«Una mirada al hablar madrileño», in *Lengua, literatura, intimidad,* Madrid, Taurus, 1966, 63-73.

Zavadil, B.:
«Medios expresivos de la categoría de modalidad en español», in *Ibero-Americana Pragensia,* 2 (1968), 57-86.

Zierer, E.:
«Sobre los adverbios y expresiones modales del castellano y sus equivalentes en el idioma alemán», in *El Simposio de México, Actas, Informes y Comunicaciones,* Mexico, U.N.A.M., 1969, 90-94.

Zuloaga Espina, A.:
«La función del diminutivo en español», in *Thesaurus,* 25 (1970), 23-48.

INDEX